CB025249

Os
MITOS EGÍPCIOS

CÓPIA NÃO AUTORIZADA É CRIME
ABDR
ASSOCIAÇÃO BRASILEIRA DE DIREITOS REPROGRÁFICOS
RESPEITE O DIREITO AUTORAL

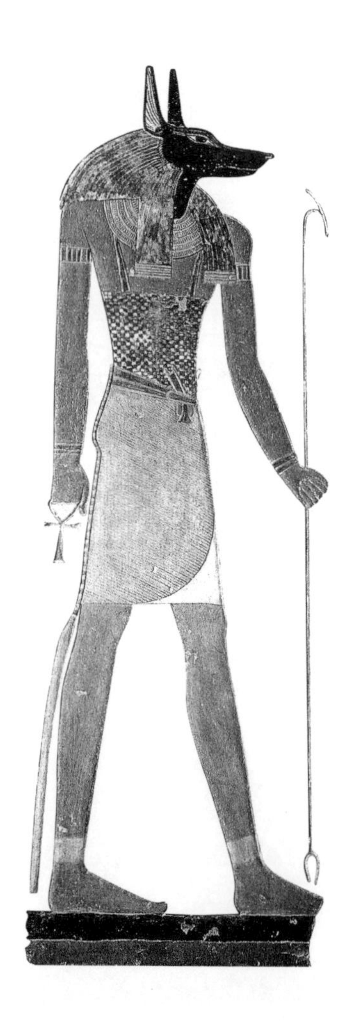

OS MITOS EGÍPCIOS

UM GUIA AOS ANTIGOS DEUSES E LENDAS

GARRY J. SHAW

TRADUÇÃO DE THAIS ROCHA DA SILVA

Petrópolis

Tradução do original em inglês intitulado
*The Egyptian Myths. A Guide
to the Ancient Gods and Legends.*

Direitos de publicação em língua
portuguesa – Brasil:
2022, Editora Vozes Ltda.
Rua Frei Luís, 100
25689-900 Petrópolis, RJ
www.vozes.com.br
Brasil

Editoração: Rafaela Milara Kersting
Diagramação e capa: Do original
Arte-finalização de miolo: Sheilandre
Desenv. Gráfico
Revisão gráfica: Nilton Braz da Rocha
Arte-finalização de capa: Editora Vozes

ISBN 978-65-5713-627-0 (Brasil)
ISBN 978-0-500-25198-0 (Reino Unido)

Este livro foi composto e impresso pela
Editora Vozes Ltda.

**Dados Internacionais de Catalogação na Publicação (CIP)
Câmara Brasileira do Livro, SP, Brasil)**

Shaw, Garry J.
Os mitos egípcios : um guia aos antigos deuses e lendas / Gary J. Shaw; tradução de Thais Rocha da Silva. – Petrópolis, RJ : Vozes, 2022.

Título original: The Egyptian myths.

3ª reimpressão, 2024.

ISBN 978-65-5713-627-0

1. Deuses egípcios 2. Egito – Religião 3. Mitologia egípcia
I. Título.

22-120172 CDD-299.31

Índices para catálogo sistemático:
1. Deuses : Egito antigo : Mitologia e religião 299.31

Eliete Marques da Silva – Bibliotecária – CRB-8/9380

SUMÁRIO

INTRODUÇÃO

O que veio antes de mim? O que está acontecendo à minha volta? O que acontece depois que eu morrer? Como acontece hoje em dia, os egípcios também buscaram respostas a essas questões fundamentais e, do mesmo modo, elaboraram teorias baseadas na observação do mundo ao seu redor. O que agora chamamos de "mitos egípcios antigos" é o resultado dessas investigações, e, a partir deles, uma visão de mundo única foi formada.

A mitologia, mais do que uma simples coleção de feitos de heróis e deuses, oferece uma maneira de entender o mundo. Há uma grande bola de luz no céu que, a cada manhã, nasce, leva o dia todo para atravessar o céu e, depois, desaparece no poente. O que é isso? E para onde ela vai? Você pode se perguntar: como ela se move? Quer você veja no sol o deus Rê navegando pelo céu a bordo de sua barca diurna, ou uma massa de reações nucleares nos puxando ao redor de sua esfera, você está observando os mesmos fenômenos. Os egípcios, tentando aumentar seu conhecimento do universo sem recorrer à física de partículas, simplesmente chegaram a conclusões diferentes. Suas explicações alimentaram a perspectiva diferenciada que

Rê com cabeça de falcão a bordo da sua barca solar.

Hórus o Menino, filho de Osíris e Ísis.

eles tinham e moldaram sua experiência de vida; o mito tornou-se a espinha dorsal da sociedade, um filtro de toda a sua cultura para uma realidade impassível. Uma vez imersa na lógica interna da sua ideologia, a vida fez mais sentido; a ordem tomou o lugar da desordem; o controle substituiu o desamparo; o conhecimento superou a ignorância. O mundo, com suas tempestades violentas no deserto e seus escorpiões mortais, tornou-se um pouco menos assustador.

A narrativa mítica do Egito Antigo estava o tempo todo presente na vida das pessoas – acontecia ao longo de cada dia, como uma interminável repetição de criações, destruições e renascimentos, numa complexa rede de interações divinas. Não houve necessidade de definir esses eventos como uma narrativa imutável. A cada dia, toda pessoa viveu como o herói de sua própria narrativa mítica. Deuses, como forças personalizadas, estavam presentes em todas as facetas do mundo criado, e precedentes míticos podem ser citados como explicações tanto para as coisas extraordinárias quanto para eventos mundanos, ligando o indivíduo ao mundo dos deuses. Mais ainda, pela invocação de eventos míticos, os egípcios assimilaram-se às suas divindades. Uma pessoa com dor de cabeça tornou-se Hórus o Menino, cuidado por sua mãe, que se tornou Ísis; na morte, o falecido se transformou em vários deuses enquanto atravessava o reino da vida após a morte, assumindo a autoridade divina de cada divindade por um tempo. Os mitos egípcios eram flexíveis o suficiente para serem moldados na vida de todos, uma vez que cada indivíduo procurava explicar o mundo natural, os desafios e as alegrias da existência. Os mitos e os atos dos deuses neles detalhados responderam à pergunta "por que isso aconteceu comigo?" Há conforto no passado.

◀ RECONSTRUINDO A MITOLOGIA EGÍPCIA ▶

Hoje, os egiptólogos se deparam com referências esparsas e fragmentadas dos mitos do Egito, reunidas a partir do conteúdo de diferentes fontes que datam desde 3050 a.C. até os primeiros séculos da Era Cristã. Como pode ser visto, o período de tempo coberto para o "Egito Antigo" é extremamente longo, mais de três mil anos,

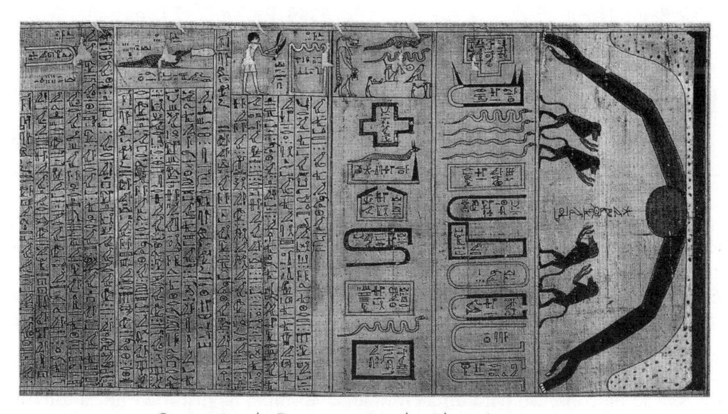

Os montes do Duat – o reino da vida após a morte.

dependendo de onde os limites são traçados. Devido à dificuldade de atribuir datas específicas aos eventos, os egiptólogos tendem a não citar datas a.C., e sim referir-se ao governo de um rei, sua dinastia ou o período geral em que reinou. No século III a.C., o sacerdote egípcio Maneto dividiu os reis do Egito em 30 dinastias (escritores posteriores acrescentaram uma 31ª). Embora cada dinastia implique uma linha governante distinta – uma linhagem individual –, nem sempre esse é o caso, já que Maneto também usou eventos significativos, como a construção da primeira pirâmide ou a mudança de residência real para marcar a separação entre os períodos. Os egiptólogos modernos tomaram as dinastias de Maneto e as agruparam em fases mais longas, divididas entre os períodos em que havia um único rei governando todo o país (Período Dinástico, Reino Antigo, Reino Médio, Reino Novo, Período Tardio)[1] e para as fases de fragmentação do poder político (Primeiro Período Intermediário, Segundo Período Intermediário, Terceiro Período Intermediário). Essas fases princi-

Cronologia egípcia

Período Faraônico	Período Dinástico Inicial	c. 3050-2660 a.C.	Dinastias 1-2
	Reino Antigo	c. 2660-2190 a.C.	Dinastias 3-6
	Primeiro Período Intermediário	c. 2190-2066 a.C.	Dinastias 7-11
	Reino Médio	c. 2066-1780 a.C.	Dinastias 11-12
	Segundo Período Intermediário	c. 1780-1549 a.C.	Dinastias 13-17
	Reino Novo	c. 1549-1069 a.C.	Dinastias 18-20
	Terceiro Período Intermediário	c. 1069-664 a.C.	Dinastias 21-25
	Período Tardio	664-332 a.C.	Dinastias 26-31
Período Ptolomaico		332-30 a.C.	
Período Romano		30 a.C.-395 d.C	

1. É comum em língua portuguesa que esses termos apareçam como Antigo Império, Médio Império, Novo Império, em geral fazendo referência a textos traduzidos do francês, que utilizam a palavra *empire* para "império". Para esta tradução, segui o termo em língua inglesa – por exemplo, *New Kingdom* como Reino Novo. O Período Tardio é amplo e pode, em algumas referências, cobrir tudo o que "veio depois". Alguns egiptólogos chamam esse período de Época Baixa, cobrindo o período entre *c.* 664-332 a.C., em que o Egito foi dominado por diversos povos, como persas e líbios. Não há consenso para uma cronologia absoluta da história egípcia durante o período faraônico, e essas datas devem ser vistas apenas como referências [N.T.].

As duas terras

O Egito é uma terra de profundos contrastes: do sul ao norte, o rio serpenteia, formando o Vale do Nilo, cujas margens são marcadas por uma estreita faixa de terras cultiváveis, até chegar à antiga Mênfis, próxima ao Cairo moderno, onde essas águas se espalham para formar o grande triângulo fértil do Delta. Devido a essa mudança dramática no terreno, os egípcios dividiram o seu país em Alto (sul) e Baixo (norte) Egito – o Vale do Nilo, ao sul de Mênfis, e o Delta, respectivamente –, referindo-se a essas divisões como as Duas Terras. Uma coroa diferente representou cada uma das metades – a Coroa Vermelha para o Baixo Egito e a Coroa Branca para o Alto Egito; estas foram combinadas como a Coroa Dupla, representante do domínio do rei sobre todo o país. Da mesma forma, os egípcios ficaram impressionados com o enorme contraste entre o deserto árido, que eles chamaram de "terra vermelha", e o solo cultivável, chamado de "terra negra". Leste e Oeste também tiveram significância; observando o sol nascente, os egípcios passaram a associar o Leste à vida nova e ao renascimento, enquanto o Oeste, onde o sol "morria" todas as noites, se tornou o reino dos mortos. É por isso que os cemitérios costumavam ser construídos no deserto do lado oeste do Nilo.

pais do chamado "Período Faraônico" foram seguidas pelo Período Ptolomaico, quando reis de origem greco-macedônia governaram[2], e, depois, pelo Período Romano. Neste livro, sigo essas convenções de datação egiptológica.

Como não há uma única fonte que nos explique perfeitamente os mitos dos antigos egípcios, os egiptólogos são forçados a remontá-los junto a evidências já fragmentadas que sobreviveram daqueles tempos distantes. Muitos mitos foram registrados em papiros, descobertos dentro de cemitérios ou em áreas no interior dos templos; outros são mencionados em estelas funerárias colocadas em tumbas.

2. O período macedônico é de domínio da dinastia Ptlomaica. Há duas dinastias: Argeadas, da linhagem de Alexandre; e Lágidas, da linhagem de Ptolomeu, filho de Lagos (Ptolomeu I). Ptolomeu foi um dos generais de Alexandre que assumiu o poder político do Egito após sua morte [N.T.].

O historiador grego Plutarco registrou muitos mitos egípcios.

Os nomes modernos dados a algumas das fontes refletem os seus contextos originais: os *Textos das pirâmides* foram encontrados inscritos nas paredes das pirâmides reais do Reino Antigo, no final da 5ª Dinastia em diante, enquanto os *Textos dos caixões*, conhecidos desde o Reino Médio, foram pintados em caixões usados para enterrar aqueles que poderiam pagar por esse luxo. O *Livro dos mortos* (o *Livro para sair à luz do dia* para os egípcios), copiado em rolos de papiro e caixões, oferece ao falecido um guia de viagem para a vida após a morte a partir do Segundo Período Intermediário e foi utilizado por mais de mil anos depois. Em quase todos os casos, os mitos são abreviados ou mencionados apenas de forma codificada; às vezes, devido ao decoro – os egípcios evitavam se referir à morte de Osíris em seus monumentos funerários, por exemplo, já que a descrição desse evento traumático na tumba poderia ferir magicamente o falecido –, e, em outros casos, não era necessário explicar o mito na íntegra, pois entendia-se que o leitor já tinha conhecimento da história.

Ao longo do vasto período da história egípcia, o Egito foi influenciado por culturas em todo o Mediterrâneo Oriental e o Mundo

Próximo Oriental – em certos períodos, foi até mesmo governado por eles, desde os assírios e os persas até os greco-macedônios e os romanos. Os mitos do Egito se adaptaram ao seu tempo, absorvendo novos sabores e encontrando novas expressões graças a essas influências. Variações sobre mitos também ocorreram nas províncias egípcias (chamadas de nomos); não havia, portanto, uma versão única e correta. Isso é angustiante e também libertador; angustiante porque qualquer guia para a mitologia egípcia nunca poderá ser um reflexo verdadeiro do que os egípcios acreditavam; mas libertador porque, como seu cronista, não estou preso a uma narrativa rígida. O que se segue neste livro é muito mais semelhante ao trabalho de Plutarco, que reuniu os elementos do mito de Osíris para um público grego, do que uma análise acadêmica típica. Assim como Plutarco, reuni fragmentos míticos, por vezes de períodos diferentes, e criei uma narrativa coerente; se o leitor pode perdoar Plutarco por suas escolhas[3], tenho a esperança de que também posso ser perdoado.

◄ ENTENDENDO OS DEUSES ►

Os deuses egípcios são um grupo vibrante e eclético; eles brigam, lutam, assassinam, estabelecem relações e podem morrer de velhice (antes de renascer, o que ilustra o amor egípcio pelo tempo cíclico). Eles também podiam se manifestar de diversas formas, em vários locais simultaneamente, enquanto seu verdadeiro eu permanecia distante e invisível no céu; embora maleáveis na forma, eles não eram, no entanto, oniscientes nem onipresentes. Encarregados de responsabilidades divinas específicas (Osíris para a regeneração e Min para a fertilidade, por exemplo), eles tiveram seus poderes limitados e precisaram se fundir com outra divindade para compartilhar os poderes um do outro por um período determinado, caso fosse necessário para alcançar um objetivo para além de sua competência cósmica. Por-

3. No original, "*acts of 'cherry picking'*", referindo-se à escolha cuidadosa e seletiva dos trechos míticos incluídos na narrativa [N.T.].

tanto, sem a capacidade e o poder para se reenergizar, o deus do sol enfermo se funde com Osíris a cada noite, usando a força regenerativa desse deus para nascer mais uma vez em um novo amanhecer. Às vezes, quando um(a) deus(a) assumia as características do(a) outro(a), ele(a) se transformava naquela outra divindade. Assim, quando Hathor, como olho de Rê, atacou a humanidade, sua fúria violenta a transformou na deusa Sekhmet, claramente sanguinária. Inicialmente confuso para o leitor moderno, a natureza complexa dos deuses egípcios deve se tornar mais clara nas páginas seguintes.

Deve-se notar que, embora úteis, as análises detalhadas sobre o desenvolvimento dos deuses e os diversos cultos ao longo do tempo nos distraem dos seus personagens, de modo que, neste livro, elas foram omitidas, a fim de enfatizar as personalidades e as características "humanas" das divindades. Para os novos leitores ou os estudantes do Egito Antigo, ou mesmo aqueles com um interesse pontual, tenho esperança de que minha abordagem seja benéfica e possa oferecer uma introdução útil aos mitos, permitindo que as histórias respirem com uma quantidade limitada de intrusões analíticas modernas. Acima de tudo, lendo esses mitos e aprendendo sobre como os egípcios se engajaram com o mundo por meio deles, deve ser uma tarefa agradável: além de serem explicativos, os mitos foram feitos para entreter. É com esse espírito que espero que o leitor se aproxime deste livro.

Para responder às questões colocadas no início desta introdução, dividi este livro em três partes: I) O tempo dos deuses (ou explicando de onde todos viemos); II) O mundo dos vivos (ou explicando o mundo à nossa volta); e III) A mitologia dos mortos (ou explicando a vida no além). Enquanto você lê, minha esperança é de que possa se colocar nas sandálias de um antigo egípcio e tentar ver o mundo sob essa perspectiva. Tome essas explicações míticas e imagine como foi ver e compreender o mundo dessa forma. Esses mitos são *insights* sobre a psicologia antiga, janelas para a mente egípcia, e podem apresentá-la a toda uma nova – mas também antiga – forma de vivenciar o mundo.

PARTE I

O tempo dos deuses (ou explicando de onde todos viemos)

1

DESORDEM E CRIAÇÃO

Compreender o pensamento egípcio antigo sobre a criação, ou mesmo reconstruir o mito egípcio em geral, é como tentar montar um quebra-cabeça quando a maioria das peças está faltando e alguém jogou a caixa fora.

No passado, confrontados com vestígios esparsos, diversos e, aparentemente, contraditórios dos mitos da criação, de diferentes partes do país, os egiptólogos dividiram esses fragmentos míticos de acordo com o centro de culto que acreditavam ter produzido (ou padronizado) o material de origem – a literatura acadêmica faria referência à "teologia menfita" (da cidade de Mênfis) ou à "teologia heliopolitana" (de Heliópolis). Argumentou-se algumas vezes que esses centros de culto, com as suas várias interpretações, poderiam estar "competindo" uns com os outros, o que significa que os sacerdotes egípcios poderiam desprezar seus colegas de outras cidades porque alguém decidiu cultuar o deus Amun em sua forma de "O grande grasnador" em vez de a vaca divina que gerou Rê.

Talvez tenham feito isso. Mas, seja qual for o caso, esses vários relatos da criação, na realidade, apresentam uma coesão notável, exibindo os mesmos temas fundamentais e seguindo estruturas muito semelhantes. Os centros de culto regionais, ao que parece, colocaram sua própria interpretação em fundamentos mitológicos aceitos de maneira geral, enfatizando os papéis de atores particulares, fases ou aspectos da criação, e substituindo seus próprios deuses locais por aqueles mencionados em outras versões. Dessa forma, os vários sacerdotes do Egito apresentaram pontos de vista alternativos, em vez de concorrentes, reduzindo, assim, o risco de brigas inter-religiosas.

Portanto, embora não existisse um mito da criação universalmente seguido, havia pelo menos um conceito abrangente – uma base compartilhada – para saber, em linhas gerais, como a criação ocorreu: nas profundezas de Nun (o ilimitado oceano escuro), um deus despertou ou concebeu a criação. Por meio de seu poder, ele, ou suas manifestações divididas em muitos aspectos do mundo criado, concebeu os primeiros deuses e o primeiro monte de terra que emergiu da água. Depois, o sol – em alguns relatos, como o olho independente do criador; em outros, recém-nascido de um ovo – amanheceu pela primeira vez, levando luz para onde antes havia apenas escuridão.

O deus Nun ergue a barca solar no céu.

A Ogdôade hermopolitana acompanha a barca solar: quatro deuses de cada lado.

Durante o Reino Novo, por volta de 1200 a.C., houve uma tentativa, em Tebas, de unificar as principais tradições do Egito sob o deus Amun como o único criador. Esse período é, portanto, ideal para descrever a criação em mais detalhes, uma vez que seus textos fornecem o melhor entendimento sobre a concepção egípcia de onde veio o mundo, ao mesmo tempo que incorpora as tradições preferidas dos principais centros de culto do país – sobretudo aqueles de Hermópolis, que se concentravam nos oito deuses (Ogdôade) do universo da pré-criação (cf. adiante); do templo do deus Ptah em Mênfis, em que a palavra falada trouxe todas as coisas à existência; e de Heliópolis, em que o deus (Rê-)Atum evoluiu de um único ovo ou semente no mundo físico. Assim, neste capítulo, investigaremos a criação do mundo com base no trabalho do egiptólogo James P. Allen, guiados por trechos do grande hino raméssida a Amun – um texto único que apresenta as conclusões das explorações teológicas do sacerdócio desse deus.

◀ OS CRIADORES ▶

Nun – As águas infinitas

O universo anterior à criação é um corpo infinito de águas, uma expansão da escuridão, inerte, sem movimento, um lugar para se levar um submarino mais do que uma nave espacial. Não há separação dos elementos, não há terra, não há céu, nada é nominado e não

A forma desse piramidion representa, provavelmente, o monte primordial da criação.

há vida nem morte. Existiu nessa forma por toda a eternidade, sem fim, quieta, silenciosa. Embora além da verdadeira compreensão humana, para conceituar e discutir essa expansão aquosa infinita, os egípcios personificaram seus aspectos entrelaçados como casais indissolúveis de homens e mulheres – os machos como sapos e as fêmeas como cobras. Havia Nun e Naunet como as águas ilimitadas; Huh e Hauhet como infinito; Kuk e Kauket como escuridão; e Amun e Amunet como ocultação. Essas forças são, com frequência, referidas coletivamente como os oito deuses primitivos de Hermópolis, ou Ogdôade (do grego para "octeto").

Para os teólogos de Hermópolis que enfatizaram essas forças da pré-criação em seus mitos, os oito deuses criaram juntos o primeiro monte de terra (ou ilha) e, então, formaram um ovo do qual o sol foi chocado. Dependendo do mito em questão, afirma-se que o sol sai de um ovo posto por um ganso chamado "O grande grasnador", ou pelo deus Toth (cf. p. 51) na forma de um íbis. Em outras variações, os oito deuses criam um lótus no Nun, do qual nasceu o sol, primeiro tomando a forma do escaravelho Khepri e, depois, como o deus-criança Nefertum, cujos olhos, ao se abrirem, iluminam o mundo.

Dos oito aspectos do universo anterior à criação, Nun, como as águas infinitas, era particularmente importante. Embora às vezes retratado como seus companheiros masculinos como um sapo, ele também pode ser mostrado como um ser humano com uma peruca tripartida, ou como uma figura de fecundidade, representando generosidade e fertilidade, pois, como veremos, apesar de Nun ser inerte e imóvel, escuro e infinito, ele também tinha a capacidade de gerar – era um local de nascimento e possibilidades. Isso pode parecer contraintuitivo: como pode um lugar de escuridão e desordem ser uma força para o crescimento e a vida? Como uma civilização otimista, os egípcios viram em Nun o potencial para ser e regenerar: a luz vem das trevas, a terra emerge da água da enchente com fertilidade renovada, as flores crescem de sementes secas e sem vida. O potencial para ordem existia dentro da desordem.

Foi a partir de Nun que tudo começou.

Amun – "Quem fez de si em milhões"

Os Oito eram as suas [de Amun] primeiras formas...
Outra de suas formas [de Amun] é a Ogdôade...
(O GRANDE HINO A AMUN)

Amun[4], listado anteriormente como apenas um dos oito deuses primitivos, foi, por volta de 1200 a.C., um deus de importância incomparável na religião oficial egípcia, tanto que a Ogdôade de Hermópolis era, na época, considerada o primeiro exemplo do desenvolvimento de seu poder majestoso e oculto. Os egípcios retrataram Amun como

4. Amun significa "o que está oculto" [N.T.].

O Rei Seti (à direita) inclina a cabeça para o deus Amun-Rê.

um homem de pele azul, usando uma coroa com duas plumas altas. O título de "O grande grasnador" demonstra a sua associação com o ganso, pássaro que rompeu o silêncio no início dos tempos com o seu grasno; ele também poderia ser mostrado como um carneiro – símbolo de fertilidade. Embora a esposa divina de Amun normalmente fosse considerada Mut (cf. quadro "Os deuses da criação"), como uma das forças primitivas de Nun, ele encontrou sua contraparte feminina em Amunet (às vezes, mostrada usando a coroa do Baixo Egito e um cajado em forma de papiro).

No Reino Médio (2066-1780 a.C.) e também durante o Reino Novo (1549-1069 a.C.), Amun ganhou destaque na região de Tebas e reinou como divindade suprema, chamado de Rei dos Deuses. Representando tudo o que estava escondido, Amun existia dentro e além de Nun, transcendente, invisível, por trás de todas as coisas, na existência antes dos deuses da criação e autocriado. Afirmava-se que

Os deuses da criação

A Ogdôade de Hermópolis

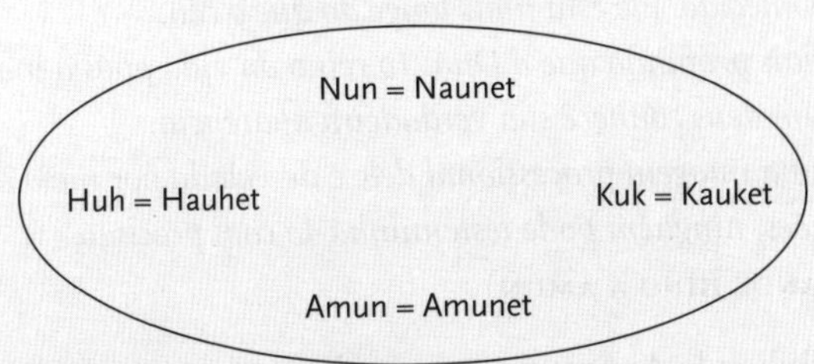

A Tríade Tebana

Amun = Mut

Khonsu

A Tríade Menfita

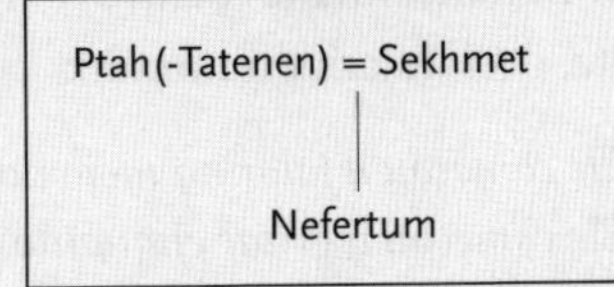

A Enéade de Heliópolis, com Hórus

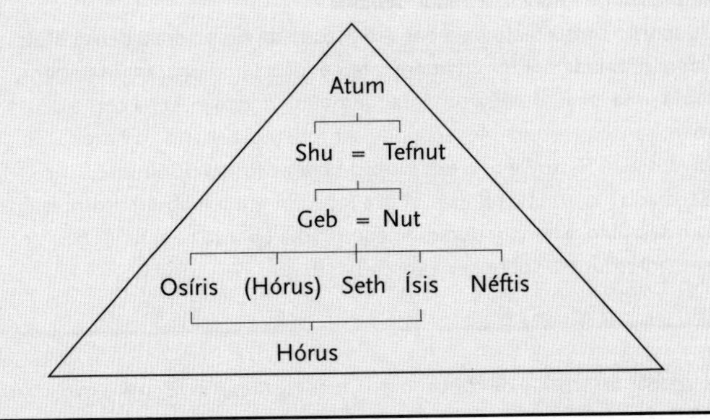

ele "teceu junto a seu corpo o próprio fluido, a fim de dar origem[5] ao seu ovo de forma isolada" e foi "o criador da [própria] perfeição". Mesmo os deuses não conheciam o seu verdadeiro caráter.

Ele [Amun] está escondido dos deuses, e seu aspecto
é desconhecido. Ele está mais longe do que o céu,
ele é mais profundo que o Duat [o reino da vida após a morte].
Nenhum deus conhece sua verdadeira aparência,
nenhuma imagem processional dele é desvelada por meio de
inscrições, ninguém pode testemunhá-lo com precisão.
(O GRANDE HINO A AMUN)

A inacessibilidade de Amun é, provavelmente, uma coisa boa, já que também somos informados que qualquer pessoa que "expresse sua identidade secreta, inconscientemente ou não", seria morto de forma instantânea.

Simultaneamente dentro e fora de Nun, Amun, a divindade oculta, decidiu criar o mundo:

Ele começou a falar no meio do silêncio…
Ele começou a gritar enquanto o mundo estava em plena quietude,
seu grito circulou enquanto ele não tinha um outro de si, o qual
ele poderá dar à luz ao que é e fazer com que viva.
(O GRANDE HINO A AMUN)

Amun, Mut e Khonsu: a Tríade Tebana

De acordo com a teologia tebana, a esposa de Amun era a deusa Mut. Ela foi retratada predominantemente na forma humana, mas também como uma leoa. Mut era um faraó feminino divino e servia como deusa-mãe; consequentemente, ela pode ser mostrada usando a Coroa Dupla do Alto e do Baixo Egito e um toucado com a forma de abutre, associado a deusas e rainhas. A trindade de Amun e Mut foi completada com seu filho, Khonsu, retratado como uma criança com luas cheias e crescentes juntas sobre sua cabeça (cf. tb. p. 122-123).

5. Não apenas no sentido de chocar o ovo, mas ele também fez o seu ovo a partir de si mesmo [N.T.].

Ptah – A mente criadora

Você assumiu sua [próxima] forma como [Ptah]-Tatenen...
Ele [Amun] é chamado de [Ptah]-Tatenen...
(O GRANDE HINO A AMUN)

O ato intelectual e direto de Amun de pensar e falar exigiu a intervenção de outro deus: Ptah, deus das artes e dos trabalhos manuais, o escultor divino e o poder da mente criativa. Para os sacerdotes de Ptah, todas as coisas foram uma "criação do seu coração"[6]: as divindades, o céu, a terra, a arte ou a tecnologia, cada um foi concebido de e trazido à existência por seu deus. Adorado principalmente em Mênfis, perto do Cairo moderno, Ptah foi apresentado como um homem firmemente enrolado em um tecido, como uma múmia, em pé sobre um pedestal, segurando um cetro, usando um solidéu e com uma barba reta (incomum para os deuses, que, normalmente, tinham barbas curvas). Ele formou uma tríade familiar com a deusa-leoa Sekhmet e seu filho Nefertum, retratado como uma criança

O deus Ptah.

O deus Tatenen.

6. Para os egípcios, a mente, a sua capacidade criativa e a memória estavam no coração, e não no cérebro, que era visto como um órgão que controlava as faculdades motoras dos seres humanos [N.T.].

Sekhmet

A deusa Sekhmet, que significa "poderosa" – esposa do deus Ptah e mãe de Nefertum –, foi retratada como uma mulher com cabeça de leoa, uma peruca longa e um disco solar na cabeça. Raramente ela foi mostrada como uma leoa por inteiro.

Sekhmet pode ser uma força perigosa ou protetora. Ela foi associada a pragas (trazidas pelos mensageiros de Sekhmet), guerra e violência, mas também recebia as preces para proteção contra doenças; se uma pessoa adoecesse, poderia convocar os sacerdotes de Sekhmet e pedir-lhes que usassem seus conhecimentos de magia para a cura. A deusa também serviu como protetora do rei, cuspindo fogo em seus inimigos e acompanhando-o durante a guerra. Em sua manifestação como o olho de Rê, sedenta de sangue, Sekhmet tentou destruir a humanidade, mas foi levada a interromper seus atos violentos (cf. p. 58-59). Seu principal centro de culto estava em Mênfis.

com uma flor de lótus na cabeça. Desde o Período Raméssida, quando o grande hino a Amun foi composto, o deus Tatenen ("a terra ressurgida") era considerado uma manifestação de Ptah, e, consequentemente, os dois foram unidos como Ptah-Tatenen, uma combinação do escultor divino com a primeira terra a se erguer das águas de Nun.

Como o poder da mente criativa, Ptah representou a força que transforma um pensamento criativo em ação e realidade material – desde o lampejo de inspiração que um artesão pode repentinamente experimentar em sua mente enquanto caminha pela rua até o ato de esculpir fisicamente sua estátua, manipulando a pedra de acordo com a imagem concebida em sua mente. Isso se reflete em um texto conhecido como "Teologia menfita", que normalmente é interpretado como a criação que se deu por meio do coração e da língua de Ptah, com o deus concebendo os elementos da criação em seu coração e, depois, anunciando-os à existência por meio de suas palavras divinas, à medida que pronunciava seus nomes: tudo o que ele pensou se tornou real. Foi a criação *ex nihilo*[7]. No entanto, James P. Allen, em determinado momento, argumentou que o coração e a língua em questão, na verdade, pertencem ao criador absoluto, Amun, com Ptah simplesmente fornecendo a força transformadora. Assim, os sacerdotes de Amun podem ter admitido que, embora Amun tenha falado "no meio do silêncio", esse deus oculto fornecia, portanto, a visão da criação,

Hu, Sia e Heka

O ato intelectual de criação foi possível por causa de três facetas do criador: *sia* ("percepção divina"), *hu* ("manifestação oficial") e *heka* ("magia"). Com o poder do *heka*, ele concebeu a criação do mundo em seu coração e, por meio da manifestação de sua autoridade, enunciou a existência. Cada uma dessas três forças foi personificada por um deus individual, sendo que Hu e Sia surgiram a partir das gotas de sangue escorridas do falo do deus do sol.

Heka, no entanto, passou a existir "antes de duas coisas terem se desenvolvido no mundo", e, portanto, quando personificado, às vezes é apresentado como um deus criador. Ilustrado como um homem ou, às vezes, como uma criança, Heka, em geral, ostenta uma barba curva divina. A parte traseira de um leão pode ser mostrada no topo de sua cabeça, e ele, eventualmente, segura serpentes nas mãos. Heka é uma das divindades selecionadas que protegem o deus do sol enquanto ele viaja em sua barca solar, mas, da mesma forma, protege o deus Osíris no reino da vida após a morte, o Duat.

Os deuses Sia (à esquerda) e Heka (à direita) acompanham a alma do deus do sol com cabeça de carneiro.

7. Expressão em latim que significa "do nada". Essa ideia é muito controversa na egiptologia, e poucos pesquisadores ainda concordam com essa versão. O caos primordial já tinha em si o princípio latente de vida [N.T.].

mas foi Ptah, como personificação do processo criativo, que permitiu que os pensamentos de Amun fossem realizados.

Se imaginarmos Amun como um rico benfeitor, um homem encomendando uma estátua para suas necessidades particulares, Ptah seria o divino artesão contratado para realizar esse trabalho. Qual – ou quem – foi a matéria-prima sobre a qual Amun, como criador, e Ptah, como tradutor da vontade do criador, trabalhariam? Quem – ou o que – eles deveriam atingir com suas ações? Todo artesão precisa de uma substância para moldar, que lhe permita extrair da mente a sua visão e tornar concreto o abstrato, para que todos o vejam. Na mitologia da criação egípcia, essa matéria-prima era o deus Atum (ou Rê-Atum), "esculpido" no mundo criado no qual todos existimos.

Atum e a evolução física

Ele [Amun] se completou como Atum,
sendo um só corpo com ele.
(O GRANDE HINO A AMUN)

Esses atos intelectuais – a visão de Amun e a força criativa de Ptah – definem a evolução física do mundo em movimento, agindo sobre e levando à consciência um ovo ou uma semente flutuando na extensão ilimitada e escura de Nun. Na tradição heliopolitana, essa semente era o deus Atum (também conhecido como Rê-Atum). Nesse ponto, uma fusão de toda a matéria e de deuses, misturados e indiferenciados, Atum era como a singularidade no início do *big bang*, ou, como ele mesmo relata:

Eu estava sozinho com o Oceano Primordial [Nun] na inércia, e não conseguia encontrar um lugar para ficar [...] [os deuses da] primeira geração ainda não haviam surgido, [mas] eles estavam comigo...
(TEXTO DOS CAIXÕES 80)

Atum, que significa "o finalizador", era o senhor da totalidade, um deus que representava, simultaneamente, a evolução e a conclusão da

O deus Atum sentado diante da Rainha Nefertari.

evolução. Normalmente representado na forma humana, usando a Coroa Dupla do Alto e do Baixo Egito, Atum também pode assumir a forma de um mangusto, um escaravelho, um lagarto, uma cobra, um babuíno empunhando um arco e flecha ou um pássaro *benu*; algumas vezes, ele também é descrito como a primeira porção de terra a emergir das águas durante a criação. Como a forma noturna do deus do sol, ele foi mostrado com a cabeça de um carneiro.

Dentro de Nun, Atum (ainda apenas uma semente) começou uma conversa com a vastidão infinita de Nun:

> *Estou flutuando, totalmente entorpecido, totalmente inerte. É meu filho, "Vida" [aqui, o deus Shu], que constituirá minha consciência, que fará meu coração viver...*
> (TEXTO DOS CAIXÕES 80)

Nun respondeu:

> *Inspire sua filha Maat [aqui, uma forma da deusa Tefnut] e levante-a até a narina para que sua consciência viva. Que eles não estejam longe de você, sua filha Maat e seu filho Shu, cujo nome é "Vida"... é seu filho Shu quem vai te levantar.*
> (TEXTO DOS CAIXÕES 80)

Essa primeira conversa curiosa requer uma explicação. Nesse ponto da criação, os deuses Shu e Tefnut, representando a vida e o conceito de *maat* (cf. quadro "Maat e Isfet"), estão dentro de Atum, existindo como parte dele. Para que Atum se separe das águas infinitas e desfrute de uma existência independente, a "vida" assume a posição de sua consciência, iniciando seu batimento cardíaco, como se o ressuscitasse da morte. Com o coração batendo e a mente agora ativa, Atum, no entanto, permanece inconsciente até inalar Maat/ Tefnut, levando-a para seu corpo como o sopro da vida para despertá-lo para uma consciência plena. Como se tivesse passado da morte para um coma e, em seguida, despertasse do estado de sonho, Atum se torna, assim, totalmente consciente e capaz de agir, despertado de seu estado adormecido e inerte pelo poder da respiração, dos batimentos cardíacos e da retomada de consciência mental.

Agora no completo controle de suas ações, Atum tira proveito de sua independência para "subtrair" as águas de Nun de si e se tornar "o restante". Essa foi a primeira matéria significativa no universo,

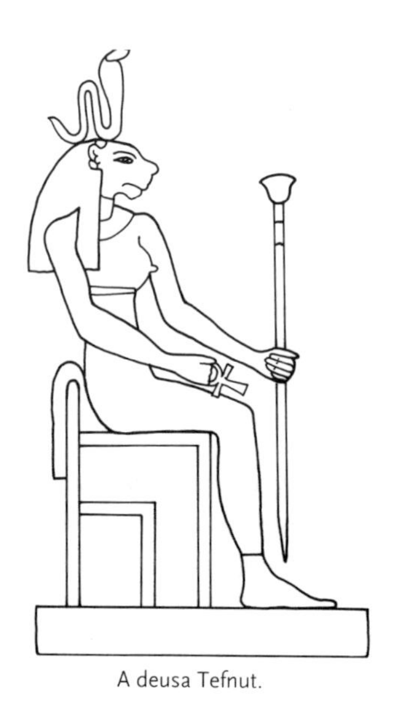

A deusa Tefnut.

O deus Shu.

Maat e Isfet

Maat, seja como uma deusa, um conceito ou mesmo uma forma de Tefnut, desempenha um papel fundamental na concepção egípcia do universo. Como conceito, *maat* representava o equilíbrio perfeito entre ordem e desordem, ao mesmo tempo que incluía justiça e boas ações. Os egípcios reconheciam que a desordem (*isfet*) nunca poderia ser erradicada, nem deveria ser, pois também fazia parte da criação, necessária para o seu correto funcionamento. *Isfet* era parte integrante do cosmos desde o início dos tempos.

No entanto, *isfet* não foi feita pelo criador, que se dissociou da *isfet* realizada por humanos:

> *Fiz cada homem como seu companheiro, não ordenei que fizessem isfet: são seus corações que destroem o que apresentei.*
> (TEXTO DOS CAIXÕES 1160)

O objetivo de cada ser vivo, desde os deuses, o faraó e a humanidade, era garantir que a ordem (*maat*) não fosse superada pela desordem (*isfet*). Para os egípcios, *maat* permeava todas as coisas, e aqueles que infringiam suas leis eram punidos, quer soubessem ou não. Até mesmo os deuses viviam de *maat*, referindo-se a ela como sua cerveja, comida e bebida. Quando personificada, Maat era uma deusa com uma pena alta na cabeça – o seu símbolo hieroglífico. Possivelmente, devido à sua conexão com Tefnut, Maat é citada como filha de Rê(-Atum) e, às vezes, descrita como a consorte do deus Toth.

A deusa Maat.

representada pelos egípcios como o monte primordial da criação (personificado como o deus Tatenen), e serviu, provavelmente, como a inspiração por trás da forma da pirâmide. Em outras variações do mito da criação, o pássaro sagrado *benu*, um aspecto de Atum, pousa nesse monte, e o seu grito/grasno é o primeiro som existente.

Voltando à nossa narrativa, o deus Shu, dentro de Atum, agora se expande, como se Atum fosse um balão se enchendo de ar:

> *É no corpo do grande deus autodesenvolvido [Atum] que eu me desenvolvi... É em seus pés que eu cresci, em seus braços que desenvolvi, em seus membros que fiz um vazio.*
> (TEXTO DOS CAIXÕES 75)

Atum agora evolui para o mundo criado, assumindo a forma que deseja. Esse poder autocriador é, frequentemente, celebrado em encantamentos egípcios:

> *Foi através da minha eficácia [de Atum] que eu trouxe meu corpo. Sou aquele que me fez. Era como eu desejava, de acordo com meu coração, que me construísse.*
> (TEXTO DOS CAIXÕES 714)

> *Salve, Atum! – quem fez o céu, quem criou o que existe; quem surgiu como a terra, quem criou a semente; senhor do que é, quem deu à luz os deuses; grande deus, aquele que desenvolve a si mesmo.*
> (LIVRO DOS MORTOS, ENCANTAMENTO 79)

◄ AQUELES QUE FORAM CRIADOS ►

A primeira geração de deuses

Shu e Tefnut agora se separam de Atum, ejetados de seu corpo como fluido divino por meio de espirros, cuspidas ou masturbação, dependendo da variante do mito. Eles permanecem dentro dos limites de sua forma em expansão, presos no "balão" do mundo criado. No entanto, apesar de agora estarem separados, Shu e Tefnut carecem de

Shu (ao centro), com os braços erguidos, separa Nut, como céu, de Geb, deitado abaixo, como a terra.

sua própria força vital, permanecendo dependentes de seu criador para sobreviver. A fim de remediar essa situação, assim como, na forma de "vida" e Maat, eles deram a Atum o poder necessário para se separar de Nun, Atum agora abraça os seus filhos gêmeos e transfere-lhes sua *ka* ou "força vital", permitindo-lhes liberdade de movimento e existência.

Como uma deusa independente, Tefnut às vezes é retratada como uma mulher humana, mas, geralmente, é mostrada como uma leoa com um corpo humano. Seu papel no mundo criado é bastante incerto; os egiptólogos se referem a ela como "umidade" ou "ar úmido corrosivo", ou acreditam, ainda, que ela serviu como o limite superior do Duat – o reino da vida após a morte. No entanto, ela certamente atuou como a mãe de todos os futuros deuses.

Shu, por outro lado, é mais fácil de descrever. Normalmente mostrado como um homem com uma pena na cabeça, ele também pode ser descrito como um leão, da mesma maneira que sua irmã/esposa. Nas ilustrações do cosmos, ele fica com os braços erguidos, separando o céu da terra em seu papel de atmosfera. Como o vazio dentro de uma caverna fechada, Shu agiu como o espaço seco e vazio dentro dos limites do mundo criado de Atum – delineando os limites da nossa existência. Criando e assegurando a separação entre o que estava acima e o que estava abaixo, Shu formou o espaço no qual toda a vida e o movimento, então, poderiam existir.

A criação de um espaço em que toda a vida pudesse prosperar não foi o único resultado da separação de Shu e Tefnut de Atum: o tempo também passou a existir. Shu representava *neheh*, o conceito egípcio de tempo cíclico, ou a repetição infinita, como o nascer e o pôr do sol, a inundação anual, o ciclo de nascimento e morte, o crescimento e a decadência. Tefnut, por outro lado, era *djet*, ou seja, o tempo parado, cobrindo tudo o que é permanente e duradouro, como as múmias ou a arquitetura feita em pedra.

Com o espaço físico e temporal na existência, o cenário estava preparado para o primeiro nascer do sol e para a criação da humanidade.

O olho de Atum e o primeiro amanhecer

Shu e Tefnut foram criados nas águas de Nun – consideradas uma força geradora e regenerativa devido ao seu papel na criação. Lá, eles foram supervisionados pelo olho de Atum, que foi enviado por seu pai para ir em busca dos filhos gêmeos. O olho de Atum (mais frequentemente referido como olho de Rê, devido à estreita associação entre esses dois deuses – cf. cap. 2) é um personagem recorrente na mitologia egípcia. Além de representar o disco solar, o olho do deus pode representar a lua ou a estrela da manhã, dependendo do mito em questão. Ele age independentemente do seu todo e, nessa forma separada, aparece como a manifestação de uma deusa – frequentemente Hathor, Bastet ou Mut (cf. quadros das p. 58,35 e 24). Enviando o seu olho para procurar Shu e Tefnut, Atum deu início ao primeiro nascer do sol. Isso, por si só, não teria sido possível sem Shu criar o vazio. Por essa razão, Shu diz: "Eu fiz a luz das trevas" e "sou eu quem ilumina o céu depois das trevas". Ainda assim, apesar de o olho aparecer como uma deusa e estar separado de Atum, o disco solar, no entanto, permaneceu parte dele; o sol ainda era "Atum em seu disco", ou Atum que "sai do horizonte oriental", ou, mais sucintamente, Rê-Atum – o sinal visível do poder do criador (pois Rê era o nome do (deus) sol em sua forma mais poderosa, ao meio-dia, e Atum, seu nome à noite, quando velho – cf. cap. 2). (Rê-) Atum começava, assim, sua jornada diária através do céu, passando, à noite, pelo Duat, reino da vida após a morte (cf. cap. 5).

Bastet

A princípio descrita como uma leoa e, depois, como um gato ou uma mulher com cabeça de gato, muitas vezes segurando um sistro decorado com gatos, Bastet (que, provavelmente, significa "A senhora do jarro de unguentos") atuou como uma mãe divina e ama do rei. Ela também estava associada à fertilidade feminina e fornecia proteção às mulheres grávidas, bem como aos falecidos. Como a "gata de Rê", ela destruiu a serpente do caos Apófis, e, como muitas deusas, foi associada ao olho de Rê, o que a levou a ser descrita como sua filha. O centro de culto de Bastet ficava em Bubastis (Tell Basta), no Delta, e ela era a mãe do deus Mahes, representado como um leão ou um homem com cabeça de leão.

A humanidade

De acordo com um dos mitos, quando chegou a hora de Shu, Tefnut e o olho voltarem para Atum, o olho ficou chocado ao descobrir que havia sido substituído por um novo olho solar, chamado de "O glorioso". O olho indesejado ficou com tanta raiva que chorou; suas lágrimas criaram a humanidade. Para aliviar a dor, Atum o colocou na testa, onde "exerceu o governo sobre toda a terra". Ele se transformou em um *uraeus* – uma naja empinada, usada por todos os faraós, que cospe fogo nos inimigos da ordem.

Mitos similares fornecem narrativas variantes sobre a origem da humanidade. Em um deles é dito que as pessoas são o resultado da "cegueira que está por trás do deus", sugerindo que o olho chorou tanto que perdeu a visão, enquanto, no *Texto dos caixões 80*, Atum refere-se aos seres humanos saindo de seu olho. Outro mito apresenta o deus do sol chorando porque está sozinho após seu nascimento e é incapaz de encontrar sua mãe; essas lágrimas criaram a humanidade. Os próprios deuses, por outro lado, são descritos como tendo surgido do sorriso do deus do sol ou emergido do suor do criador (diferentemente do que pode parecer à primeira vista, isso não é depreciativo, já que se acreditava que o suor de um deus cheirava a incenso).

Apesar de a humanidade ser uma consequência acidental do desespero, da raiva e da tristeza do olho, o criador realizou quatro boas ações em seu benefício: criou os quatro ventos, para dar um "sopro de vida" a todos; fez a enchente anual do Nilo, para garantir que sempre haveria comida suficiente; criou todos de forma igual (exceto o rei, naturalmente, que existia em sua própria categoria); e fez o coração de cada pessoa se lembrar do "Ocidente" – a vida após a morte. Lá, seria possível continuar a existência na companhia dos deuses. Na verdade, o criador não era indiferente à sua criação acidental:

> *Pois é por causa deles que Ele criou o céu e a terra. Ele acalmou a fúria das águas e criou os ventos para que suas narinas vivam. Eles são suas imagens que vêm à tona de seu corpo, e é por causa deles que Ele sobe no céu. Para eles, Ele criou plantas e gado, aves e peixes para sustentá-los... Para o bem deles, Ele cria a luz do dia... E quando eles choram, Ele ouve... [É Ele] quem zela por eles tanto de noite quanto de dia.*
> (ENSINAMENTOS PARA O REI MERIKARÊ)

Além disso, um hino a Amun elucida o que esse deus fez pela população não humana do mundo, afirmando que ele foi "criador de pastagens que mantêm os animais vivos [...], que torna possível que os peixes do rio vivam e os pássaros povoem o ar". Amun cuida até das menores criaturas, conforme relata o hino, pois é ele "quem torna possível que os mosquitos vivam junto aos vermes e às pulgas, que cuida dos ratos em suas tocas e mantém vivos os besouros (?) em cada árvore..."

O deus Atum luta com Apófis, a serpente do caos.

Apófis e suas origens

A cada noite, desde o momento da criação, Apófis, uma cobra monstruosa de 120 côvados (aproximadamente, 63 metros) de comprimento, que representava desordem, atacava o deus do sol e fomentava a rebelião. Como a força destrutiva final do universo, Apófis era o líder das forças da desordem e teve que ser repelido da barca solar do deus do sol Rê por seus seguidores, a fim de garantir o nascer do sol e a estabilidade contínua do mundo. Descrita como "A rugidora" e sem nariz, orelhas e olhos, Apófis, no entanto, ainda conseguiu possuir o olho mal, que lhe deu a capacidade de paralisar homens e deuses. Por essa razão, os reis executavam um ritual no qual atingiam o olho de Apófis com um largo bastão, arremessando para longe o seu olhar maligno.

Apesar do papel proeminente de Apófis na mitologia egípcia, suas origens são um tanto obscuras. Existe apenas uma referência tardia à sua criação. Nela, Apófis passa a existir a partir da saliva descartada de Neith. Durante a maior parte da história egípcia, no entanto, não há referência ao surgimento de Apófis, como se ela fosse considerada uma forma autocriada ou que existia antes da criação.

Apófis ainda quer nos pegar

Ao contrário da serpente Apófis que ameaçava destruir o sol todos os dias, o asteroide chamado Apófis representa um perigo intermitente para a Terra e a lua. O leitor ficará feliz de saber que o impacto previsto na Terra para 2004, de fato, não aconteceu, mas cálculos feitos logo depois desse (não) evento mostraram que os próximos impactos são previstos para 2029 e 2036; felizmente, ambos foram considerados extremamente improváveis. Curiosamente, o asteroide foi chamado de Apófis não por causa do seu perigo para a sobrevivência do mundo, mas porque os cientistas que o descobriram eram fãs da série de televisão *Stargate SG-1*, que incluía um personagem chamado Apófis como o vilão principal.

A próxima geração

Shu e Tefnut criaram a próxima geração de deuses: Geb e Nut. Como uma força, Nut serviu como a abóbada celeste, uma barreira transparente entre o mundo criado e as águas circundantes de Nun, impedindo-as de cair sobre a terra. Personificada, ela é mais frequentemente representada como uma mulher nua, segurando-se pelos braços e pelas pernas, cada qual fazendo contato com a terra nos pontos cardeais, ou mantidos juntos, fazendo com que seu corpo seja um caminho estreito para o sol, a lua e as estrelas percorrerem. Muito incomum para a arte egípcia, Nut também pode ser retratada de frente, encarando diretamente o observador, como se você estivesse olhando para o céu e a visse olhando para você lá do alto.

A deusa Neit (ao centro) em pé entre Ísis e Osíris, sentado ao trono.

Geb, o deus que se tornou a terra, normalmente é personificado como um humano de pele verde, às vezes decorado com plantas, deitado de lado e apoiado sobre seu cotovelo. Quando em pé, ele, geralmente, usa a Coroa Vermelha do Baixo Egito, embora, às vezes, seja substituído por um ganso – o símbolo hieroglífico de seu nome.

Um mito nos diz que, no início, Geb e Nut se abraçaram tanto que Nut foi incapaz de dar à luz, mas Shu os separou para permitir que seus filhos nascessem; isso explica perfeitamente por que a atmosfera separa a terra do céu. Em outro mito, apresentado pelo historiador grego Plutarco, Geb e Nut não conseguiam dormir juntos porque Shu os mantinha separados, forçando-os a se

O deus Geb.

encontrarem em segredo. Rê, no entanto, descobriu seus encontros secretos e lançou uma maldição sobre Nut, tornando-a incapaz de dar à luz durante 360 dias do ano – o ano completo nesse ponto inicial da criação. O sábio deus Toth (cuja falta técnica em mencioná-lo nesse ponto da criação vamos ignorar) se ofereceu para ajudar e foi jogar damas com a lua. Tão bom no jogo quanto na prática de escriba (cf. p. 51), Toth derrotou a lua e ganhou "a septuagésima parte de cada uma de suas iluminações". A partir disso, ele criou cinco dias a serem adicionados no final do ano, levando o calendário a ter 365 dias, concedendo a Nut a chance de dar à luz os seus filhos, o que ela fez em cada um desses cinco dias.

Os filhos de Nut e Geb, na ordem de seu nascimento, são: Osíris, Hórus o Velho, Seth, Ísis e Néftis. Em algumas fontes gregas, Hórus o Velho é, em geral, omitido, deixando-nos com a Grande Enéade tradicional egípcia – o grupo de nove deuses que representavam a criação física do mundo (cf. quadro da p. 23).

◄ A CRIAÇÃO COMPLETA ►

A Enéade é combinada no seu corpo [de Amun]:
sua imagem é cada deus, unido em sua pessoa.
Você emergiu primeiro, começou do início.
(O GRANDE HINO A AMUN)

E, assim, os sacerdotes de Amun podem ter dito ao leitor que aquilo que começou com o grito de Amun em meio do silêncio culminou com a evolução do mundo físico; ele é o "original que gerou os originais e fez com que o sol nascesse, completando-se em Atum, um

Membros da Enéade heliopolitana (Atum, Shu, Tefnut, Geb, Nut e, lado a lado, Ísis e Néftis) seguidos por Hórus e Hathor. Rê-Horakhty é o primeiro do lado direito, acima. Osíris e Seth não aparecem.

corpo com ele". A criação foi resultado das ações de Amun, e cada desdobramento no mundo depois daquele instante foi um desenvolvimento dele. Da mesma forma, cada faceta do universo é uma manifestação de sua força oculta, agindo como forças e personalidades independentes, permeando toda a existência dentro de nossa bolha da criação, mas com todas interligadas e unificadas.

Essas forças são os *netjeru*, "os deuses".

◂ 2 ▸

OS REINADOS DE RÊ, SHU E GEB

Antes que os homens se tornassem reis do Egito, os próprios deuses reinaram e viveram entre a humanidade. Diz-se que o primeiro deles foi Ptah, mas nenhum mito nos fala sobre o seu reinado. Seu nome foi adicionado à Lista Real de Turim[8], uma das nossas principais fontes para a sequência de reinados dos faraós egípcios, remontando ao início da história, com a inclusão dos próprios deuses. No entanto, a inclusão do nome de Ptah no início dessa lista pode ser apenas o reflexo de uma tradição local. Rê(-Atum), o deus do sol, foi aclamado e reconhecido mais amplamente como o primeiro rei do Egito.

◂ O REINADO DE RÊ ▸

Como uma das divindades mais importantes do Egito, Rê era adorado por todo o país, embora seu principal centro de culto fosse em Heliópolis ("Cidade do Sol"), agora englobada pelo Cairo moderno. Normalmente descrito como um falcão com um corpo humano e um disco solar no topo da cabeça, Rê também pode ser representado apenas pelo disco solar circundado por uma cobra protetora, às vezes com asas emplumadas estendidas saindo de cada lado do disco solar. Como todas as divindades egípcias, o deus do sol se manifestava de muitas formas. De manhã, ele era Khepri – o escaravelho –, rolando

8. A Lista Real de Turim (ou Cânone Real de Turim) é um papiro escrito em hierático (uma versão cursiva da escrita hieroglífica) que apresenta a versão mais completa da lista de reis egípcios. O papiro foi encontrado pelo viajante italiano Bernardino Drovetti em 1820 e, depois, vendido ao Museu de Turim, em 1824. Essa lista serviu como referência para se estabelecer a cronologia da realeza e da história egípcia. O papiro data do Reino Novo (*c.* 1550-1069 a.C.), provavelmente do reinado de Ramesses II (*c.* 1279-1213 a.C.). O papiro está bastante fragmentado, o que traz muitas dificuldades de leitura e interpretação ao texto, tornando a cronologia egípcia um tema controverso para os egiptólogos [N.T.].

lentamente a grande bola do sol acima do horizonte; ao meio-dia, era Rê, a manifestação mais poderosa do deus do sol; e, à noite, era o cansado Atum com a cabeça de carneiro, pronto para passar por debaixo do horizonte em direção ao reino da vida após a morte, o Duat, a fim de se reenergizar para a manhã seguinte. Outra manifestação frequentemente atestada é Rê-Horakhty ("Rê-Hórus dos Dois Horizontes"), em que Rê e Hórus foram unidos e associados ao sol nascente e ao sol poente.

O nome secreto do deus do sol

Como rei, o deus Rê governava tanto os homens quanto os deuses e se manifestava diariamente de muitas maneiras e com nomes diferentes. O seu verdadeiro nome, entretanto, não era desconhecido, exceto por ele mesmo. Não se tratava de constrangimento, ou porque ele preferiu usar um pseudônimo, mas foi para sua própria segurança. Saber o nome verdadeiro de uma divindade (ou até mesmo de uma pessoa) dava a um indivíduo poder sobre ela, permitindo-lhe utilizar o poder do deus para seus próprios objetivos. Por essa razão, os deuses esconderam os verdadeiros nomes no fundo de suas barrigas, para protegê-los do uso indevido por feiticeiros.

Ísis, uma feiticeira poderosa, "mais rebelde do que um infinito número de homens, mais astuta do que um número infinito de deuses" (cf. quadro da p. 46), sabia disso e queria igualar seu poder ao de Rê. Se ela soubesse o nome de Rê e adquirisse o poder dele, poderia passar esse conhecimento para o filho não nascido (ainda a ser concebido), Hórus, garantindo seu papel principal no cosmos.

Quando Rê envelheceu, Ísis implementou o plano. Enquanto o deus do sol estava sentado preguiçosamente em seu trono, babando no chão, ela coletou uma pequena quantidade de saliva de Rê e amassou-a com um pouco de terra para formar uma cobra. Os fluidos divinos possuem poder criativo, e, então, sua criação ganhou vida. Nesse momento, entretanto, a cobra permaneceu imóvel, e Ísis a colocou em uma encruzilhada onde Rê, apesar da idade avançada, caminhava todos os dias com sua comitiva para ver a criação. Em um passeio no dia seguinte, com os olhos fracos, o velho Rê não viu a cobra e foi mordido por ela. Dores lancinantes queimaram o seu corpo, e o fogo foi tão intenso que uma árvore próxima explodiu em chamas. Os gritos de Rê alcançaram o céu e perturbaram os deuses. Quando o veneno tomou conta do seu corpo, como a inundação do Nilo toma posse da terra, os lábios do deus e também os seus membros tremeram, e ele ficou sem poder falar.

Os gritos de dor de Rê fizeram com que seus seguidores se aproximassem. O deus explicou que algo o havia picado, uma criatura desconhecida que seus olhos não viram, seu coração não conhecia, sua mão não havia feito e que ele não reconhecia como sua criação (certamente, um incômodo extra para o criador do mundo). "Nunca experimentei um sofrimento como esse; não há dor maior do que essa", disse Rê, ponderando sobre a criatura que o atacou. "Não é fogo,

O deus do sol com cabeça de falcão, Rê-Horakhty, sentado ao lado da deusa Hathor.

Ísis e o crescimento de seu culto

A deusa Ísis estava intimamente associada à magia, à maternidade e ao amor. Representada na forma humana, Ísis usa um vestido longo e, às vezes, segura um sistro. O símbolo de um trono repousa sobre sua cabeça; esse hieróglifo proclama seu nome, que, por si só, pode ser traduzido como "assento" ou "trono", destacando sua importância para a realeza. Devido à sua estreita associação com Hathor, Ísis é, por vezes, retratada de maneira semelhante à outra deusa, com chifres de vaca e um disco solar sobre a cabeça. Ela é mostrada, eventualmente, como uma cobra empinada, como no *Livro dos portões*, do Reino Novo.

No mito, Ísis era irmã e esposa de Osíris e uma das quatro crianças de Geb e Nut. Os mitos sobre a concepção dela e do filho de Osíris, Hórus, e a longa luta da criança pela realeza serão contados nos capítulos 3 e 4. Durante as cerimônias funerárias, aqueles que estavam de luto eram associados a Ísis e à sua irmã Néftis. Na vida após a morte, acreditava-se que Ísis sustentava o morto. Os egípcios também associavam Ísis à estrela Sirius, cujo desaparecimento e retorno anuais marcavam a época da inundação e da colheita subsequente.

A partir do Período Ptolomaico, o culto de Ísis se espalhou por todo o mundo mediterrâneo, levando-a a ser assimilada por outras deusas importantes, tanto que se tornou conhecida como "Aquela com muitos nomes". Seus poderes medicinais e curativos eram elogiados, e ela era considerada uma deusa-mãe compassiva. Com o crescimento do culto a Ísis, Hórus passou a ser associado ao deus grego Apolo e a simbolizar a vitória do bem sobre o mal.

nem água – (embora) meu coração esteja tomado pelo calor, meu corpo está tremendo [de frio] e meus membros estão arrepiados." A seriedade da situação começou a dar sinais, e Rê pediu para que os filhos dos deuses fossem levados até ele, bem como aqueles familiarizados com feitiços e cujas palavras tinham poderes mágicos.

Os filhos dos deuses logo chegaram e se aglomeraram ao redor de Rê, tentando descobrir uma cura, enquanto Ísis, de pé entre eles, fingia não saber nada sobre a criatura que havia atacado o seu rei. Ela se aproximou de Rê, perguntando qual era o problema: "Foi uma serpente que trouxe a fraqueza sobre você? Um dos seus filhos se levantou contra você?" Ela prometeu destruir o mal com sua magia e

Ísis representada com os chifres de vaca, em geral, mais associados a Hathor.

impedir que a criatura visse seus raios. Rê, coberto de suor, trêmulo e cego, relatou novamente como havia sido picado, queixando-se: "O céu derrama chuva em meu rosto no verão!" Era a hora certa para Ísis fazer o seu jogo; ela disse ao rei que só poderia ajudá-lo se soubesse seu nome. Em resposta, Rê, provavelmente lutando contra seu estado delirante, deixou escapar alguns de seus nomes, muitos dos quais descreviam suas boas ações para o cosmos: disse que foi ele quem fez o céu, a terra, as montanhas e a água, além de ter feito as horas para que os dias passassem a existir e dividido os anos. Ele acrescentou que era Khepri pela manhã, Rê ao meio-dia e Atum à noite.

O deus Khepri com a cabeça de escaravelho.

Ísis não se impressionou. O veneno permaneceu no corpo de Rê, e o deus não se sentia melhor. A deusa inclinou-se e aproximou-se do deus dizendo que o seu nome verdadeiro não estava entre os listados. Se ele quisesse ser curado, precisaria ser mais acessível. O veneno penetrava no corpo de Rê com mais força, de maneira mais poderosa que as chamas. Vencido, ele pediu que Ísis o ouvisse com atenção, para que o nome verdadeiro pudesse sair de sua barriga e entrar na dela. Acrescentou, ainda, que ela poderia passá-lo para o filho Hórus, contanto que este prometesse nunca contar a ninguém.

Finalmente, com seu plano bem-sucedido, Ísis usou sua magia para curar o deus do sol, dizendo:

> *Saiam, escorpiões! Deixem Rê! Olho de Hórus, deixe o deus!*
> *Chama da boca – eu sou aquela que te fiz, eu sou*
> *aquela que te enviou –, venha para a terra, veneno poderoso!*
> *Veja, o grande deus deu seu nome. Rê viverá,*
> *assim que o veneno morrer!*
> (PAPIRO DE TURIM 1993)

Talvez tenham sido esses eventos traumáticos que levaram Rê a punir os deuses em algumas ocasiões. Uma pequena narrativa mítica refere-se a Rê convocando todos os deuses e as deusas e, após sua chegada, engolindo-os. Enquanto eles se contorciam dentro de seu corpo, Rê os matou e os vomitou como pássaros e peixes. No entanto, nem sempre houve um deus maquinador por trás de suas doenças. Em um dos mitos, ele adoece e só pode ser curado pelos habitantes poderosos do Duat. Para alcançar esses seres, a comitiva do deus, preocupada que Rê pudesse ficar preso no Duat se suas dores continuassem, escreve uma carta às autoridades de Heliópolis e pede que seja feito um apelo ao povo do Ocidente (os mortos), por meio de um buraco no chão. Outro mito apresenta Rê entrando em colapso, tendo convulsões após pisar em uma criatura sem nome. Nessa ocasião, o azarado deus teve que revelar o verdadeiro nome de sua mãe para ser curado.

O mito do olho do sol

Durante o reinado de Rê, ele e seu olho brigaram tanto que este decidiu partir, invadindo a Líbia ou a Núbia, dependendo da variante do mito, e atacando todos ao longo do caminho. Sua ausência, no entanto, deixou Rê indefeso, já que ele servia para proteção e era crucial para o poder do deus. A fim de reparar a situação, Rê enviou um deus para recuperar o olho furioso. Como sempre, há muitas variantes do mito, e os nomes dos deuses envolvidos também mudam de acordo com a

Onúris (à esquerda), usando plumas duplas na cabeça, e sua esposa Mekhit, a deusa de cabeça de leoa.

Onúris (Anhur)

Onúris era um deus da guerra e da caça, cujas origens se encontram na área de Abidos. Ele é tipicamente representado como um homem barbudo, em pé e com uma peruca curta que tem acima um *uraeus* e duas ou quatro plumas. Ele ergue a mão direita e, frequentemente, carrega um pedaço de corda com a esquerda. Seu nome significa "aquele que traz de volta o que está distante", uma referência ao seu papel mítico como o deus que trouxe de volta da Núbia o olho leonino de Rê, que, então, se tornou sua esposa, Mekhit. Esse mito é virtualmente idêntico ao de Shu trazendo de volta o olho de Rê como Tefnut, cuja origem, provavelmente, está no mito de Onúris. Assim, Onúris era, muitas vezes, equiparado a Shu, o deus dominante no panteão, e era considerado um filho de Rê, que caçava e matava os inimigos do deus do sol.

narrativa: uma versão diz que Onúris (cf. quadro "Onúris (Anhur)") seguiu o olho e, depois, se casou com ele[9]. Outra versão apresenta Shu caçando-o. No relato mais extenso preservado, é Toth, um deus famoso por seus conselhos e sua sabedoria (cf. quadro "Toth e o *Corpus hermeticum*"), que viaja em busca do olho. Nessa variante, o olho é denominado Tefnut e assume a forma de um gato núbio.

9. O olho de Rê é diferente do olho *udjat* e do olho de Hórus. O olho de Rê (*irt*) é sempre associado a divindades femininas, felinas, e aos epítetos de deusas, como Sekhemet, Mut e Tefnut, por exemplo. A letra *t* ao final é a marca do feminino na língua egípcia. O olho *udjat* é o símbolo do olho que, em geral, é apresentado em amuletos, como uma garantia de saúde física. O olho de Hórus é uma representação das oferendas que aparecem listadas em fórmulas mágicas em estelas, por exemplo. As oferendas, em geral, são pão, incenso, vinho, linho e unguento, muitas vezes associadas ao próprio Egito [N.T.].

Toth e o *Corpus hermeticum*

O deus Toth é descrito como um íbis, um homem com cabeça de íbis ou um babuíno agachado. Era um deus da lua associado à sabedoria, ao conhecimento e à aprendizagem. Dadas as associações lunares de Toth, é possível que o bico longo e curvo do íbis se parecesse com a lua crescente. Em sua forma de babuíno, ele frequentemente tem uma coroa com uma lua cheia e uma lua crescente combinadas.

Os egípcios consideravam Toth como o inventor da escrita e o protetor dos escribas. Ele era o mestre da magia e do conhecimento secreto, que registrava a passagem do tempo e supervisionava a pesagem do coração do morto na vida após a morte; sua presença era uma garantia de que todos os negócios seriam conduzidos de maneira justa. Embora representado como um diplomata, cujas palavras sábias aconselhavam os deuses, nos *Textos das pirâmides*, Toth realiza atos violentos contra os inimigos de *maat*.

Toth, às vezes, é apresentado como o resultado da união entre Hórus e Seth; no entanto, outras inscrições o descrevem como filho de Rê ou Hórus. Sua esposa era Nehemetawy, enquanto Seshat, sua filha, era a deusa da escrita (embora, algumas vezes, ela substitua Nehemetawy como sua esposa). O principal centro de culto de Toth era em Hermópolis (moderna El-Ashmunein), no Oriente Médio. Para os sacerdotes de Hermópolis, Toth apareceu no primeiro monte da criação e criou a Ogdôade.

Como Toth também era um mensageiro divino, os gregos o associaram a Hermes, chamando-o de "Três vezes grande Hermes", ou Hermes Trismegistus. Dessa forma, acreditava-se que ele havia transmitido seus ensinamentos aos discípulos e que suas palavras de sabedoria foram agrupadas no *Corpus hermeticum* nos primeiros séculos da era cristã. Graças aos copistas bizantinos, esses ensinamentos foram preservados, permitindo-lhes influenciar os pensadores da Renascença mil anos depois, especialmente no que diz respeito à abordagem da magia e da alquimia.

Depois de encontrar o olho, e a fim de se aproximar dele sem ser reconhecido, Toth se transformou em um babuíno com cara de cachorro, mas Tefnut percebeu seu ardil, ficou furiosa e preparou-se para atacar o deus. Toth, agindo rapidamente, disse a ela que o destino pune todos os crimes. Suas palavras sábias a convenceram a interromper o ataque. Tendo ganhado a atenção de Tefnut, e na esperança de convencê-la a voltar para casa, Toth exaltou a beleza do Egito e a presenteou com uma série de fábulas de animais (às vezes com uma fábula dentro de outra fábula) repletas de ensinamentos morais sobre a importância da paz e sobre como os fortes se beneficiam da amizade com os fracos. No processo, Tefnut, irritada com as tentativas de Toth de influenciá-la, se transformou em uma leoa terrível, mas Toth se recusou a desistir. Ele conseguiu convencê-la a retornar ao Egito, e os dois foram recebidos na fronteira com música e dança. Quando chegaram a Mênfis, Rê organizou um festival em homenagem a Tefnut na Mansão da Senhora do Sicômoro – uma capela para Hathor (cf. quadro da p. 58) –, e ela contou a Rê as histórias que Toth lhe contara. O deus do sol elogiou, então, o êxito de Toth.

Alguns mitos de rebelião contra o deus do sol

Um tema frequente de mitos ambientados durante o reinado de Rê são as rebeliões contra seu governo. Os locais das rebeliões variam, assim como as identidades dos envolvidos: às vezes é a humanidade; outras vezes, Apófis e seus seguidores, ou mesmo Seth (cf. quadro da p. 55). Outra variante é a idade do deus do sol – em alguns mitos, ele é uma criança, enquanto, em outros, ele é idoso. Em ambos os casos, o criador está em uma fase vulnerável da vida, o que explica por que as rebeliões eclodem nesses períodos. Esses dois momentos da vida do deus do sol – a infância e a velhice – representam o nascer e o pôr do sol, respectivamente, e são conhecidos como momentos perigosos, que representam também o seu enfraquecimento ao longo do ano solar até o seu renascimento e a renovação no novo ano.

A rebelião de Neit na cosmogonia de Esna

No Templo de Esna, um mito narra uma rebelião que ocorreu durante a juventude do deus do sol. Após sua criação a partir da saliva escarrada de Neit (cf. p. 38), Apófis planejou a rebelião em seu coração e teve ajuda de seus seguidores entre a humanidade. Rê, sabendo dos planos de Apófis, se amargurou, e Toth emergiu do coração do deus do sol para debater a situação com ele. Rê decidiu enviar Toth, como "Senhor das palavras do deus", para lutar contra

Apófis, enquanto ele próprio fugia com a mãe, que, nessa época, havia se manifestado na forma da vaca celestial Ihet, a qual se tornou conhecida como Mehet-Weret: "a grande nadadora". Rê sentou-se em sua sobrancelha, entre os chifres, enquanto ela nadava para Sais, ao norte, onde poderiam se esconder em segurança. Lá, a mãe de Rê amamentou o jovem deus, tornando-o forte o suficiente para retornar ao sul a fim de massacrar seus inimigos.

O livro de Faiyum

Essa composição, encontrada pela primeira vez durante o Período Ptolomaico, inclui uma série de mitos do oásis de Faiyum, no Egito. Entre eles está uma das narrativas de rebelião contra Rê. O deus do sol soube que homens e deuses estavam conspirando contra ele e foi enfrentá-los em Heracleópolis, uma cidade importante ao sul de Faiyum. Ele venceu, mas, antes que uma segunda batalha pudesse dar início, o deus idoso retirou-se para a cidade de Moeris, em Faiyum, para buscar refúgio com sua mãe, a vaca Ihet (aqui, uma personificação do Lago Moeris). A salvo, o deus escondeu-se por doze meses, tomando o leite rejuvenescedor da mãe, antes de voarem, quando Ihet carregou Rê em suas costas e, depois, transformou-se no céu.

Um mito da rebelião de Kom Ombo

Esse mito de Kom Ombo, no Alto Egito, local de um templo dedicado a Sobek e a Hórus o Velho, também começa com os inimigos de Rê tramando contra ele. Ao saber de seus planos, Rê, junto a Toth e Hórus o Velho (cf. quadro da p. 56), foi em busca dos rebeldes, seguindo-os até Kom Ombo. Chegando à cidade, Rê se estabeleceu em seu palácio e enviou Toth para procurar e espionar seus inimigos. O deus sábio os encontrou acampados às margens de um grande lago e, de uma distância segura, às margens de um rio, contou 257 inimigos, liderados por oito oficiais. Todos estavam parados caluniando o deus do sol. Toth retornou imediatamente e delatou todos os envolvidos a Rê. Naturalmente, este se enfureceu e anunciou que não permitiria que nenhum deles vivesse. Talvez cansado demais para se envolver na batalha, ou apenas desconfiado do número de inimigos, Toth sugeriu que Hórus o Velho (nesse mito, um aspecto do deus Shu), um guerreiro habilidoso, aniquilasse os inimigos do deus do sol. Rê seguiu o conselho de Toth e enviou Hórus o Velho armado com todo o seu arsenal de guerra, que os massacrou com tanta fúria e violência que seu rosto ficou vermelho por causa do sangue.

A lenda do disco solar alado em Edfu

Um mito particularmente detalhado de rebelião contra o deus do sol está preservado na inscrição do Período Ptolomaico nas paredes do Templo de Hórus, em Edfu. No 363º ano do reinado de Rê, o deus do sol e sua comitiva estavam navegando pela Núbia quando Hórus de Behdet (o antigo nome de Edfu) avistou inimigos – ligados ao deus trapaceiro Seth – conspirando contra o rei. Em um ataque preventivo, Rê enviou Hórus, que voou para o céu como um grande disco alado. "Ele os atacou antes", fomos informados, "e eles não viram com os olhos nem ouviram com os ouvidos, mas [cada] um matou o seu companheiro num piscar de olhos, e nenhuma alma viveu." Diante do deus sanguinário, os inimigos perderam os sentidos e começaram a girar suas armas, golpeando uns aos outros em vez de atacar o oponente. Em seguida, Rê desceu de seu barco solar para ver seus inimigos caídos, que jaziam no chão "com as cabeças cortadas".

Enquanto a tripulação do barco solar comemorava, mais inimigos chegaram e lançaram um ataque, assumindo formas de temíveis crocodilos e hipopótamos. Em retaliação, Hórus e seus seguidores os combateram com arpões. Os inimigos que sobreviveram a esse ataque divino fugiram para o norte, mas Hórus os perseguiu e massacrou a maioria deles próximo a Tebas. Os sobreviventes continuaram rumo ao norte, mas Hórus os seguiu, navegando na barca de Rê.

Seth rugiu de raiva com o massacre que Hórus liderou, e os dois iniciaram uma batalha. Hórus lançou seu arpão contra Seth e o arremessou ao chão, fazendo do deus seu prisioneiro, prendendo suas mãos e amarrando uma corda em volta de sua garganta. Derrotado

Seth

Um deus associado à violência, à confusão e à maldade, Seth pode ser descrito como uma criatura que possui um longo focinho, orelhas compridas retangulares e uma cauda ereta. Na forma humana, ele só apresenta a cabeça dessa criatura. Seth pode, no entanto, se manifestar de muitas outras formas, incluindo a de um boi vermelho, um órix do deserto, um porco ou um hipopótamo.

De acordo com o *Texto das pirâmides 205*, Seth se separou de sua mãe Nut durante o nascimento, destacando sua natureza violenta desde o início da vida. Ele era irmão de Osíris, a quem assassinou para se tornar rei do Egito, e, depois, se envolveu em uma longa batalha legal pelo trono com o sobrinho Hórus (cf. a seguir). Várias deusas são citadas como consortes de Seth. Néftis é a que aparece com maior frequência, embora Taweret, Neit, Astarte e Anat também sejam mencionadas.

Como senhor da terra vermelha, Seth era o deus do deserto, mas também era associado às tempestades (sua voz era um trovão), ao tempo nublado e ao mar, e podia-se rezar para ele para pedir um tempo mais calmo. Ele também presidiu países estrangeiros. Embora seja frequentemente apresentado como inimigo, Seth usou de sua grande força para proteger Rê da Serpente do Caos, Apófis, durante a sua jornada noturna pelo Duat. Ao contrário da maioria dos deuses, cujos ossos seriam de prata, os de Seth eram formados de ferro, e ele era descrito como o senhor dos metais. Muitos templos foram dedicados a Seth, especialmente no nordeste do Delta, mas seu principal centro de culto era em Nubt (Ombos), na entrada de Wadi Hammamat, uma fonte de ouro.

e envergonhado, Seth foi levado perante Rê e sua comitiva para que seu destino fosse decidido.

Toth, como conselheiro do deus do sol, sugeriu que os seguidores de Seth fossem dados a Ísis, para que ela pudesse fazer o que quisesse com eles. Não sendo as mais indulgentes das divindades, Hórus e Ísis decapitaram todos eles, deixando Seth ciente de que ele seria o próximo, sendo transformado em uma cobra que desapareceria no chão. Em seguida, Hórus continuou a perseguição dos inimigos que

Qual Hórus? Hórus de Behdet, Hórus o Falcão, Hórus o Velho e Hórus o Menino

Há uma variedade enorme e confusa de figuras de Hórus na mitologia egípcia, e, embora sejam tratados, muitas vezes, como deuses separados e com pais diferentes, devem ser considerados como aspectos da mesma divindade.

Hórus de Behdet, da *Lenda do Disco Solar Alado*, é a forma do deus adorado no Templo de Edfu, no Alto Egito, e, possivelmente, em Tell el-Balamun, no Delta. Ele era o esposo de Hathor e pai dos deuses Hórus Unificador das Duas Terras (Hórus-Sematawy ou Harsomtus) e Ihy. Como todas as formas de Hórus, ele é mostrado como um falcão, muitas vezes pairando sobre o faraó, embora também possa ser descrito como um leão. O disco solar alado, esculpido nas paredes de templos em todo o Egito e, com frequência, visto na decoração de lintéis, é também uma imagem de Hórus de Behdet.

O deus Hórus como um falcão vestindo a Coroa Dupla do Alto e do Baixo Egito.

Hórus o Falcão, cujo centro de culto era em Hieracômpolis (Nekhen), no sul do Egito, era um deus da realeza, associado aos reis do Egito desde os primeiros períodos. Como um deus do céu, os olhos de Hórus o Falcão eram considerados o sol e a lua.

Hórus o Velho, descrito como um homem com cabeça de falcão, era filho de Nut e Geb, ou Hathor e Rê, dependendo da variante do mito. Ele gerou os Quatro Filhos de Hórus (cf. quadro da p. 174) com sua irmã (ocasionalmente) Ísis. Os primeiros *Textos da pirâmide* apresentam Hórus o Velho auxiliando Ísis e Néftis a reunir os pedaços do corpo de Osíris e, em seguida, a vingá-lo.

Hórus o Menino, normalmente mostrado como uma criança com a trança lateral da juventude, era filho de Ísis e Osíris. Ele foi adicionado aos *Textos das pirâmides* na 6ª Dinastia e incorporado, depois, pela mitologia heliopolitana.

restaram até o Mar Mediterrâneo, antes de voltar sua atenção ao sul, encontrando e matando um último grupo inimigo na Núbia.

A cerveja salva o mundo

Quando Rê atingiu a velhice, com seus ossos prateados, sua carne dourada e seu cabelo lápis-lazúli, a humanidade (como sempre) conspirou contra ele. Antes que eles pudessem lançar seu ataque, no entanto, Rê descobriu os planos nefastos e ordenou que seu olho fosse convocado junto a Shu, Tefnut, Geb, Nut, os pais e as mães que estavam com Rê quando ele estava no Nun (ou seja, os oito deuses primordiais), o próprio Nun e também sua corte. O deus do sol desejava consultá-los, mas queria garantir que a humanidade não suspeitasse de nada, então foram levados ao seu palácio em segredo.

Os deuses e os membros da corte se reuniram em duas fileiras diante do deus do sol, que permanecia em seu trono. "Ó, deus mais velho em quem eu vim a existir [Nun] e deuses ancestrais", disse Rê. "Vejam, a humanidade, que saiu do meu olho, está conspirando contra mim. Digam-me o que fariam a respeito, pois estou procurando [uma solução]. Eu não os matarei até ouvir o que vocês têm a me dizer sobre isso." Tendo considerado as opções, Nun aconselhou Rê que o medo seria maior se seu olho perseguisse os conspiradores. Rê sabia que os rebeldes haviam fugido para o deserto, "seus corações estão temerosos de que eu possa falar com eles", e decidiu seguir a sugestão de Nun – enviou o olho para feri-los.

O olho assumiu a forma colérica de Hathor e começou imediatamente o massacre, regozijando-se nele, primeiro matando os inimigos no deserto e, depois, voltando-se contra os demais. Testemunhando a destruição indiscriminada de sua criação, Rê mudou de ideia e se convenceu de que, com algum esforço extra, poderia continuar a governar a humanidade como rei. O único problema, agora, era a deusa Hathor, seu olho, que estava gostando de aniquilar todos que encontrava pela frente. Se Rê fosse impedi-la, precisaria traçar um plano inteligente.

Hathor

Seu nome significa "Casa de Hórus". Na forma humana, Hathor pode ser identificada por sua longa peruca preta, amarrada com um filete, com um *uraeus* e um disco solar acima, posicionado entre os chifres de vaca. Às vezes, é representada utilizando uma coroa de abutre. Hathor também é comumente descrita como uma vaca divina, novamente com um disco solar entre os chifres. Em uma terceira forma, é representada com uma face humana que encara o observador, mas possui orelhas de vaca e usa uma peruca.

Em Dendera, Hathor foi apresentada como a esposa de Hórus, com quem deu à luz seus filhos Ihy e Hórus-Sematawy (Hórus Unificador das Duas Terras). Outras fontes a apresentam como esposa do deus do sol Rê, embora também possa ser considerada sua mãe e, na manifestação como olho de Rê, sua filha.

Como uma vaca divina, Hathor protegeu o rei e agiu como sua ama, assim como cuidou do menino Hórus em Khemmis. Ela é considerada a esposa e mãe dos reis. Para a população em geral do Egito, Hathor era associada ao amor, à sexualidade feminina, à fertilidade e à maternidade, fornecendo assistência divina em todos os aspectos do parto. Eles também a identificavam com alegria, música, dança e bebidas alcoólicas. Como a Senhora do Sicômoro, representando a fertilidade do mundo natural, ela deu sombra, ar, comida e bebida aos mortos, e, como Senhora do Ocidente, cuidou daqueles enterrados em Tebas, dando-lhes as boas-vindas na vida após a morte. Hathor também foi associada a minerais e a recursos dos desertos e das terras estrangeiras, especialmente a turquesa e o cobre, e protegia aqueles que trabalhavam em áreas de mineração.

Embora muitos centros de culto estivessem associados a Hathor, seu templo mais importante, pelo menos na história egípcia tardia, estava em Dendera.

Para acabar com a violência, Rê enviou mensageiros a Elefantina, no extremo sul do Egito, com ordens para lhe trazer ocre vermelho. Depois de receber o mineral bruto, disse ao sumo sacerdote de Rê em Heliópolis para moê-lo até que se parecesse com sangue

A deusa Sekhmet.

humano, misturando-o, depois, com sete mil jarros de cerveja. Durante a noite, Rê enviou a cerveja para onde Hathor – agora, na forma claramente violenta de Sekhmet – estava descansando e a despejou nos campos, na esperança de que, quando a deusa acordasse, acreditasse estar cercada de sangue, sua nova bebida favorita. Assim como planejado, Hathor-Sekhmet abriu os olhos na manhã seguinte e bebeu até se embriagar, esquecendo-se, rapidamente, da sua raiva pela humanidade.

A partida de Rê

Apesar de salvar a humanidade, Rê decidiu que estava cansado demais para continuar governando o Egito pessoalmente. Os deuses tentaram dissuadi-lo de partir, mas ele foi inflexível – era hora de ir. "Meu corpo está fraco pela primeira vez", disse a eles. "Não vou esperar até que outra [rebelião] chegue até mim." Aceitando relutantemente a decisão de Rê, Nun disse a Shu que seu olho serviria como proteção ao deus do sol e que Nut deveria permitir que Rê se sentasse em suas costas. Isso deixou a deusa do céu confusa, pois ela não se sentia preparada para tal responsabilidade e ficou insegura quanto à logística envolvida. "Como exatamente Rê se sentará nas minhas costas?", perguntou ela a Nun. "Não seja boba", respondeu ele, enquanto Nut se transformava em uma vaca, proporcionando um amplo espaço em seu dorso para o idoso deus do sol. Quando Rê tomou seu lugar na recém-bovina Nut, os homens se aproximaram, explicando que tinham vindo para derrubar seus inimigos e qualquer um que conspirasse contra ele. Rê, contudo, os ignorou e partiu para o seu palácio, deixando o Egito cair na escuridão.

Na madrugada do dia seguinte, Rê acordou e descobriu que a humanidade havia desenvolvido arcos e clavas para atirar em seus inimigos. Irritado, o deus do sol anunciou: "Que sua maldade fique para trás, ó, matadores; que seus massacres fiquem distantes [de mim]". Essas ações fortaleceram a decisão de Rê em partir; ele ordenou a Nut que o erguesse ao céu, dizendo: "Fique longe deles!" Os dois subiram ao céu, e Nut permaneceu com Rê durante o dia e a noite, ajudando-o a fazer alguns ajustes finais no cosmos: de sua posição distante no céu, Rê ordenou a Nut a criação da Via Láctea. Ele mesmo formou o Campo de Juncos e o Campo de Oferendas, ambos locais associados aos mortos, bem como aos planetas e às estrelas. Quando Nut começou a oscilar por causa da altura, Rê criou os Infinitos, dois grupos de quatro deuses, encarregados de ajudar Shu a sustentá-la.

Em seguida, Rê convocou Geb para instruí-lo: "Fique atento às cobras que existem em você!", ordenou, referindo-se às cobras que se escondem dentro da terra (o corpo de Geb). "Veja, eles tinham medo de mim quando eu estava lá. Além disso, você se familiarizou com seus poderes mágicos. Vá, agora, para o lugar onde meu pai Nun se

Uma cena do *Livro da vaca celestial*. A vaca é sustentada pelo deus Shu e pelos deuses heh.

encontra e diga a ele para manter a vigilância sobre as cobras terrestres e aquáticas." Ele adicionou que Geb deveria redigir alertas para serem colocados nos montes onde as cobras habitam, dizendo-lhes: "Tenham cuidado para não perturbar qualquer coisa". "Eles devem saber que estou aqui", Rê proclamou, "pois ainda estou brilhando por eles". Para todo o sempre, Geb deveria vigiar as cobras.

Tendo falado com Geb, Rê convocou Toth e o instalou como a lua e como vizir (seu representante divino, um cargo na burocracia da corte do faraó). Rê também abraçou Nun e disse aos deuses que ascendessem ao céu oriental para louvarem Nun como o deus mais velho de quem ele (Rê) se originou. Rê, então, fez sua declaração final para a criação:

> *Fui eu que fiz o céu e o coloquei no lugar para instalar os baw dos deuses nele, de modo que eu esteja com eles para a eterno recorrência [do tempo] produzida ao longo dos anos. Meu ba é mágico. É [ainda] maior do que isso.*
> (LIVRO DA VACA CELESTIAL)

O *ba* ou os *baw* (no plural, pois os deuses podem ter muitos *ba*) de um deus era uma forma pela qual este podia ser sentido ou experimentado na terra, uma manifestação da força e da personalidade divinas. Nesse mundo recém-reorganizado, o vento era o *ba* de Shu, por exemplo; a chuva, o *ba* de Heh; a noite, o *ba* da escuridão; e o próprio Rê, o *ba* de Nun; os crocodilos eram os *baw* do deus Sobek, enquanto o *ba* de Osíris era o carneiro sagrado de Mendes. O *ba* de cada divindade morava dentro de cobras. O *ba* de Apófis estava na Montanha Oriental, e o *ba* de Rê estava na magia em todo o mundo.

A retribuição de Rê para as rebeliões

Rê não apenas puniu a humanidade distanciando-se da terra, mas também encurtou a expectativa de vida da humanidade:

Eles fizeram guerra, criaram turbulência,
fizeram o mal, criaram rebelião, fizeram
massacres, criaram a prisão. Além disso, eles
transformaram [o que era] grande em [o que é] pequeno em
tudo o que tenho
feito. Mostre grandeza, Toth, diz ele, [a saber] Atum[-Rê].
Você não verá [mais] transgressões, não deverá suportá-las.
Encurte seus anos, encurte seus meses desde que causaram
dano oculto a tudo o que você fez.
(LIVRO DOS MORTOS, ENCANTAMENTO 175)

◄ O REINADO DE SHU ►

Rê retirou-se para os céus, e seu filho, Shu, assumiu o lugar como rei, governando como o deus perfeito do céu, da terra, do Duat, da água e do vento. Ele, rapidamente, atacou aqueles que se rebelaram contra o pai e sacrificou os filhos de Apófis. Em seguida, quando o ar esfriou e o solo ficou seco, Shu ergueu cidades e fundou nomos[10] (as regiões

---

10. As províncias egípcias, ou os distritos administrativos, tinham governantes locais, e foram chamadas de nomos pelos gregos. Em egípcio, o termo era *sepat* [N.T.].

administrativas do Vale do Nilo e do Delta), defendeu as fronteiras do Egito e templos construídos no norte e no sul. Tudo era bom, exceto por seu relacionamento com Geb, o filho problemático. Ao mesmo tempo, Geb se transformou em um javali e engoliu o olho de Rê que havia ficado com Shu para protegê-lo. Embora Geb negasse esse ato, o olho sangrou e teve que ser colocado de volta no horizonte por Toth. Geb, então, atacou Shu e foi forçado a beber urina como punição. Ele também enfureceu o pai assumindo a forma de um touro e tendo relações sexuais com a própria mãe, Tefnut. Como, inicialmente, ele se recusou a admitir para Shu os crimes que cometera, uma lança enfiada na coxa soltou sua língua.

Um dia, enquanto residia em Mênfis, Shu convocou a Grande Enéade dos deuses e disse-lhes que deveriam acompanhá-lo em uma caminhada para o Leste, até um lugar onde ele pudesse encontrar o pai, Rê-Horakhty (Rê em sua forma de Hórus do Horizonte), e passar algum tempo com ele. Eles alegremente obedeceram, e, logo depois, a corte real fixou residência na casa terrena do rei abdicado. Entretanto, essa não seria uma experiência agradável. Enquanto os deuses desfrutavam da companhia de Rê, os filhos de Apófis, saqueadores rebeldes do deserto, chegaram do Leste, com a intenção de causar estragos. O objetivo deles não era conquistar territórios, mas sim destruir. Qualquer território por onde passavam, na terra ou na água, estava abandonado, queimado e inabitável, em um rastro de destruição. Ouvindo sobre o caos que afligia o leste do Egito, Shu reuniu seus seguidores e os de Rê e ordenou que seus homens tomassem posições nas colinas de Iat-Nebes (a moderna Saft el-Henna, um local no deserto, a sudeste do Delta). Essas colinas existiam desde o reinado de Rê e serviriam como uma linha defensiva perfeita para proteger o deus do sol e o Egito. Como esperado, os filhos de Apófis chegaram, e a batalha começou; Shu, rapidamente, massacrou os inimigos e expulsou todos os que se opunham a seu pai.

Shu pode ter vencido a batalha, mas não ganhou a guerra. Logo após seu sucesso sobre os filhos de Apófis, a revolução eclodiu no palácio de Shu, liderada por um grupo de rebeldes. Oprimido, a terra caiu no caos, e Shu, assim como o pai, ascendeu ao céu, deixando a

Toth (à direita) inscreve a duração do reinado na árvore sagrada ished (persea).

esposa Tefnut para trás na terra. Provavelmente fugindo do perigo que a rondava, Tefnut deixou Mênfis ao meio-dia para visitar outro palácio mais seguro, mas, em vez disso, foi para Pekharety, uma cidade na Síria-Palestina. Como durante o reinado de Rê, quando Tefnut, em sua forma de olho do deus do sol, tentou deixar o Egito e foi levada de volta por Onúris, Shu ou Toth, nessa ocasião, Geb saiu em busca da mãe e a devolveu ao palácio.

Não que o Egito fosse mais seguro do que as terras estrangeiras. Um grande tumulto ainda envolveu o palácio, e uma poderosa tempestade surgiu, tão intensa que nem humano nem deus podiam se ver. Ninguém saiu do palácio por nove dias, até que o caos diminuísse e o tempo voltasse ao normal. Agora, finalmente, Geb subiu formalmente ao trono de seu pai, e os membros da corte beijaram o chão diante de sua presença. Geb, então, honrou o nome do pai na árvore mítica sagrada de Heliópolis, que trazia os nomes de cada rei do Egito, inscritos por Toth com a duração de seus reinados.

◀ O REINADO DE GEB ▶

Pouco tempo depois de ascender ao trono, Geb deixou o palácio para viajar ao delta egípcio, seguindo seu pai enquanto ele voava pelo céu, para visitar a cidade de Iat-Nebes. Ao chegar, Geb perguntou sobre a localidade, pedindo aos deuses que lhe contassem tudo o que havia acontecido com Rê, todas as batalhas ocorridas, bem como quaisquer eventos relativos a Shu. Enquanto eles presenteavam Geb com a história da grande vitória de Shu contra os filhos de Apófis, mencionaram que o ex-governante usava um *uraeus* vivo – uma cobra empinada – na cabeça. Isso era novidade para Geb, que, nesse momento, também desejava usar seu próprio *uraeus* vivo, assim como o pai havia feito. Infelizmente, ele havia sido selado em uma arca, escondida em algum lugar em Pi-Yaret (perto da moderna Saft el-Henna, no Delta), e que precisaria ser localizada antes de tudo. No entanto, tais trivialidades não deteriam o recém-coroado rei: sem demora, ele reuniu seus seguidores e partiu em busca do *uraeus* vivo.

Geb e sua comitiva descobriram rapidamente a localização da arca, mas, quando o rei divino se inclinou para abrir a tampa, o *uraeus* saltou de dentro e soprou uma grande chama contra ele. Os seguidores de Geb morreram instantaneamente, incinerados pela força do fogo. O rei sobreviveu, mas com a cabeça gravemente ferida pelas queimaduras. Cambaleando de dor, Geb abriu o caminho para o Campo das Plantas Henu em busca de alívio, mas não encontrou nenhum. Ele, então, ordenou a um de seus seguidores que trouxesse a Peruca de Rê, um item com poderes mágicos, considerado o único objeto capaz de curar suas feridas. A peruca curou Geb com sucesso e realizou mais milagres em seguida, transformando-se em um crocodilo, o qual ficou conhecido como Sobek de Iat-Nebes.

Curado e descansando em sua residência em Itj-Tawy, ao norte do oásis de Faiyum, o próximo ato de Geb foi enviar uma força militar contra os rebeldes asiáticos, trazendo um grande número de volta ao Egito como prisioneiros. Ele, então, ouviu mais histórias sobre o reinado de Shu e pediu uma lista de todos os lugares que Rê e Shu ordenaram que fossem construídos na terra. A maioria desses locais havia sido destruída pelos filhos rebeldes de Apófis, e Geb ordenou que fossem reconstruídos. Milhões de assentamentos foram recriados e tiveram seus nomes registrados em grandes listas (inclusive ao lado da *naos* de onde deriva esse mito), que serviram como testamento das boas ações de Geb para o Egito.

Apesar de seu sucesso como governante, Geb viu em seu filho, Osíris, um rei digno do Egito, um deus que poderia conduzir a terra à boa fortuna, e, então, decidiu abdicar de seu trono, assim como Shu e Rê haviam feito antes dele. Ele concedeu a Osíris a terra, "a sua água, o seu vento, as suas plantas e todo o seu gado. Tudo o que voa, tudo o que pousa, os seus répteis e o seu jogo no deserto..." Assim, Osíris se tornou rei, e uma nova era no reinado dos deuses começou.

◂ 3 ▸

O REINADO DE OSÍRIS

Com a abdicação de Geb, a coroa passou para seu filho Osíris, um deus associado à fertilidade e à regeneração e que, com sua morte – uma vez que os deuses egípcios não eram imortais –, se tornou rei do Duat e governante dos mortos justificados[11]. Na arte, Osíris é retratado como uma múmia enfaixada, em pé ou sentada em seu trono, com a pele verde ou preta, que representa o solo fértil. Ele segura o cajado e o malho do faraó e usa um colar em volta do pescoço, além da coroa *atef* na cabeça. Essa coroa é semelhante à Coroa Branca faraônica do Alto Egito, sendo alta, com uma ponta em forma de bulbo e duas plumas altas nas laterais, por vezes também adornada com discos solares e chifres.

◂ A COROAÇÃO E O GOVERNO ▸

Rê coroou Osíris com a coroa *atef* no nomo heliopolitano, mas o calor da coroa era tão intenso que fez com que o novo rei ficasse doente. Seus efeitos foram tão duradouros que, após a cerimônia, Rê encontrou Osíris sentado em sua casa, com o rosto todo inchado. Foi um início desfavorável para o reinado, mas Osíris, rapidamente, ganhou a reputação de ser um rei grandioso e benevolente. De fato, ele era bastante preparado para o trabalho, tendo servido como vizir, sacerdote principal de Heliópolis e arauto real antes de herdar a coroa do pai. Com oito côvados, seis palmos e três dedos de altura (cerca de 4,7 metros), ele, certamente, poderia intimidar qualquer inimigo

---

11. No original em inglês, *blessed*, termo que pode ser traduzido nesse contexto como "abençoado" ou "bem-aventurado". A expressão original egípcia era *maA hrw*, que pode ser traduzida como "justo de voz" ou "justificado". A tradução, portanto, optou por fazer referência ao termo egípcio [N.T.].

Osíris portando a coroa *atef*, com o cajado e o malho da realeza em suas mãos.

no campo de batalha. Seu reinado é descrito como uma época de prosperidade, quando todos os recursos foram bem controlados e a terra era estável. A vida era boa, as águas desordenadas de Nun eram mantidas à distância, o vento frio do Norte soprava (algo particularmente desejado no intenso calor egípcio) e os animais procriavam. Os conspiradores foram esmagados, e Osíris era respeitado entre os deuses. Na verdade, o único problema significativo enfrentado por Osíris durante a fase inicial do seu reinado aconteceu quando, numa noite, uma tempestade atingiu o Egito e a deusa Sekhmet teve que salvá-lo usando seu poder sobre a água.

Em uma lenda posterior, preservada por dois historiadores gregos, Diodoro Sículo e Plutarco (que escreveram nos séculos 1 a.C. e 2 d.C., respectivamente), descobrimos que o estabelecimento de várias estruturas sociais e costumes era atribuído a Osíris durante seu reinado. Plutarco relata que, como rei, o deus ensinou aos egípcios como cultivar a terra; ele também lhes deu leis e os ensinou a honrar os deuses. De acordo com Diodoro Sículo, Osíris fez muitas boas ações para a vida social da humanidade, começando por fazê-la desistir do canibalismo. Como Ísis havia descoberto o trigo e a cevada, os seres humanos passaram a consumi-los em vez de comer uns aos outros. Ísis também estabeleceu leis, enquanto Osíris construía templos para seus pais e outros deuses em Tebas. Ambas as divindades homenagearam aqueles que cultivaram as artes e fizeram avanços tecnológicos. Um avanço em particular foi o desenvolvimento de ferramentas de cobre, que ajudaram as pessoas a matar animais e a conduzir atividades agrícolas de forma mais eficaz. De acordo com Diodoro, Osíris foi o primeiro a inventar e provar o vinho, e ele se aconselhou com Toth sobre todos os assuntos. Outra fonte descreve Khentiamentiu, divindade que, normalmente, é uma forma de Osíris, servindo como vizir do deus-rei. O deus Hu (a personificação da autoridade) serviu como general de Osíris no Alto Egito, enquanto Sia (a percepção) era seu general no Baixo Egito.

Toth, o deus com cabeça de íbis.

Posteriormente, Diodoro e Plutarco relatam que Osíris reuniu um grande exército e viajou pelo mundo ensinando sua população sobre o vinho e sobre como semear o trigo e a cevada, deixando Ísis (sua irmã-esposa, com quem ele, aparentemente, havia começado o relacionamento no útero) para governar o Egito em sua ausência, tendo Toth como conselheiro. Osíris levou os filhos Anúbis (cf. quadro da p. 174) e Macedon (um nome grego, substituindo o deus egípcio Wepwawet) com ele, assim como Pan (Min). Seu exército consistia em homens experientes na agricultura, músicos, cantores e dançarinos – Osíris, aparentemente, gostava de risos, comida e entretenimento. Plutarco diz que Osíris conquistaria por meio do charme e da persuasão aqueles que conheceu, juntamente com o fascínio pela música e pela dança.

Como muitos alunos que tiram um ano de intervalo nos estudos, quando partiu para suas viagens, Osíris decidiu deixar o cabelo crescer até voltar para casa. Primeiro, marchou para a Etiópia, ao sul, onde fundou cidades, ensinou às pessoas as maravilhas da agricul-

Osíris, enfaixado como uma múmia, e Ísis diante dos quatro filhos de Hórus.

tura e deixou que os homens governassem em seu nome; estes eram indivíduos de confiança, de quem ele poderia cobrar tributos. Por fim, foi para a Índia e fundou outras cidades. No entanto, a jornada de Osíris não foi completamente pacífica – na Trácia, por exemplo, ele matou o rei dos bárbaros. Depois de percorrer o mundo inteiro, Osíris voltou ao Egito com inúmeros presentes exóticos.

◀ OS FILHOS DE OSÍRIS ▶

De acordo com Plutarco, Osíris teve um caso com a irmã Néftis, esposa de Seth, acreditando que ela era Ísis (bem, elas se parecem). Apesar do choque com a infidelidade, Ísis foi em busca do filho nascido da união adúltera do marido porque Néftis o havia deixado exposto – uma prática tipicamente romana, e talvez um detalhe adicionado ao mito de Plutarco – com medo da reação de Seth pelo caso extraconjugal. Depois de muitos problemas, Ísis encontrou a criança com a ajuda de cães. Ela criou o menino, que se tornou o seu guardião. Esse bebê era Anúbis.

No entanto, Anúbis não foi o primeiro filho de Osíris. Embora seu filho mais famoso com a irmã e esposa Ísis seja Hórus o Menino (cf. quadro da p. 56), ele teve uma filha obscura, conhecida apenas por meio de um feitiço do final do Reino Médio, que tinha a função de moldar tijolos de barro. Aparentemente, ela acreditava que Osíris deveria viver apenas de plantas *djais* (uma forma de erva venenosa) e mel, que é amargo para os que viviam no Duat, o lar de Osíris após a morte. Tendo em vista esses sentimentos, talvez ela tenha sido enviada para moldar tijolos de barro como forma de punição pelos pensamentos assassinos direcionados ao pai. O deus Babi, um babuíno divino agressivo que vivia nas entranhas humanas (cf. quadro da p. 188), também foi considerado o filho mais velho de Osíris, e Sopdet, a personificação de Sirius, a estrela mais brilhante do céu, sua outra filha. Nos *Textos dos caixões*, o deus chacal Wepwawet, associado a funerais e cemitérios, também é descrito como filho de Osíris.

Néftis

Normalmente retratada em forma humana como uma deusa, mas às vezes como um pássaro, Néftis (que significa "Senhora da mansão") era uma entre os quatro filhos de Nut e Geb, e esposa do irmão Seth. De acordo com uma lenda posterior, ela também era mãe de Anúbis. No mito, ela ajudou a irmã Ísis a proteger e ressuscitar Osíris, lamentou a morte deste junto a ela e ajudou a proteger Hórus de Seth. Néftis também desempenhava um papel protetor para o morto; sua imagem é, muitas vezes, encontrada em sarcófagos, e ela, junto ao deus Hapy, guardava os pulmões dos mortos, que eram mantidos separados do corpo mumificado em um vaso canopo. Néftis não tinha centro de culto próprio, mas é frequentemente encontrada em amuletos a partir da 26ª Dinastia.

◄ O ASSASSINATO DE OSÍRIS POR SETH ►

As únicas reconstruções completas da história da morte de Osíris vêm de relatos fornecidos pelos autores gregos Diodoro Sículo e Plutarco. Fontes egípcias antigas são pouco esclarecedoras sobre o que aconteceu, uma vez que descrever a morte do deus em detalhes era contra o decoro. Primeiramente, recriaremos, aqui, o relato completo das fontes gregas e, em seguida, mostraremos como este é sustentado por detalhes de textos egípcios em tumbas e papiros. Embora o relato de Plutarco seja posterior, é o mais completo dos dois, então começaremos com ele.

O mito de Osíris de acordo com Plutarco e Diodoro

Depois que Osíris voltou de suas viagens, o irmão Seth conspirou contra ele, reunindo 72 conspiradores e trabalhando em parceria com uma rainha etíope. Seth, secretamente, mediu o corpo de Osíris e fez uma linda arca do tamanho exato do deus, ornamentada com joias. Ele ordenou que a arca fosse levada para uma câmara onde aconteceriam as festividades, para que todos pudessem, então, se maravilhar com sua beleza. Com os convidados devidamente impressionados, Seth anunciou que quem melhor coubesse na arca poderia ficar com ela. Atraídos pela oferta, os convidados se revezaram tentando se encaixar, mas sem sucesso, até que Osíris se deitou nela e descobriu que seu corpo se ajustava perfeitamente. Naquele momento, os conspiradores de Seth saltaram à frente e fecharam o deus na arca com pregos em sua moldura de madeira e chumbo derretido sobre todas as fendas. Sem perder tempo, jogaram a arca no rio e a observaram à medida que seguia o curso do Nilo em direção ao mar. Diz-se que isso ocorreu no 28º aniversário de Osíris, ou de seu reinado.

Ao saber desses acontecimentos macabros, Ísis, que estava na cidade de Coptos, cortou uma mecha de cabelo e se vestiu com um traje de luto. Ela vagou perdida, até que, um dia, encontrou um grupo de crianças e perguntou se haviam visto a arca. Felizmente para ela, as crianças tinham avistado a arca indo em direção ao mar. Após uma investigação mais aprofundada, Ísis descobriu que a arca havia chegado a Biblos, onde o mar a havia levado até um arbusto de urze, o qual havia crescido e se tornado uma grande árvore, que escondia a arca dentro de seu tronco. Sem perder mais tempo, Ísis partiu para recuperar a arca, mas, enquanto viajava, o rei de Biblos foi à praia para admirar a grandiosidade da árvore. Desejando um pilar robusto capaz de sustentar o telhado de seu palácio, ele cortou a parte mais espessa da árvore – a que escondia o peito de Osíris – e levou para casa. Assim, quando Ísis chegou, não encontrou nada além de restos do tronco. Ela se sentou perto de uma fonte, abatida e chorosa, e ali encontrou as servas da rainha. Ísis falou com elas, trançou seus cabelos e deu-lhes uma fragrância maravilhosa. Quando as servas voltaram ao palácio, a rainha sentiu o perfume e imediatamente pediu que Ísis fosse levada à sua presença; ela, então, nomeou Ísis como ama de seu bebê.

Toda noite, enquanto o rei e a rainha dormiam, Ísis, magicamente, queimava as porções mortais do corpo do príncipe bebê e se transformava em uma andorinha para voar ao redor do pilar que carregava o cadáver de Osíris, lamuriando e lamentando a perda do marido. Uma noite, a rainha ouviu o barulho do lado de fora da porta do quarto e saiu para investigar. Ao encontrar seu bebê

Deus Osíris deitado sob seu caixão funerário, pranteado por Ísis (à direita) e Néftis (à esquerda).

pegando fogo, ela gritou, interrompendo subitamente o feitiço de Ísis e negando, assim, a imortalidade ao príncipe bebê. Descoberta, Ísis, agora, exibia sua verdadeira forma de deusa e exigia o pilar de volta. A rainha, incapaz de negar o pedido, observou enquanto Ísis removia o pilar (felizmente, não suportava o peso) e cortava a madeira até que a arca fosse finalmente revelada. Ísis, imediatamente, se jogou sobre o caixão chorando. As emoções da deusa foram tão intensas que o príncipe bebê caiu morto.

Voltando ao Egito, Ísis escondeu a arca, mas Seth, caçando, uma noite, à luz da lua, a encontrou. Reconhecendo o corpo de Osíris, ele o rasgou em catorze pedaços e os espalhou pelo Egito. Ísis soube de sua profanação e navegou pelos pântanos em um barco de papiro, em busca dos pedaços do marido. Ela encontrou todas as partes do corpo de Osíris, exceto o falo, que havia sido comido pelos peixes do Nilo, de modo que ela criou um substituto. Plutarco relata que alguns mitos apresentam Ísis realizando um funeral separado para cada parte do corpo de Osíris, nos locais onde ela as havia encontrado, o que explicaria por que tantos lugares reivindicavam a tumba de Osíris. Outros mitos relatam que Ísis apenas fingiu enterrar partes do corpo nesses locais para que o marido recebesse mais honrarias divinas. Vários enterramentos também dariam o benefício adicional de impedir que Seth descobrisse o local onde estava a verdadeira tumba do deus.

O relato de Diodoro sobre a morte de Osíris, anterior ao de Plutarco, é um pouco mais sucinto. Ele narra como Seth assassinou o irmão e cortou o seu corpo em vinte e seis pedaços, cada um dos quais dado a um de seus seguidores. Mas Ísis e Hórus (provavelmente Hórus o Velho, que não aparece no relato de Plutarco – cf. quadro da p. 56) se vingaram, massacrando Seth e seus seguidores. Em seguida, Ísis procurou e juntou todas as partes de Osíris, exceto o pênis, que havia se perdido. Para proteger o corpo de seu marido de Seth (aparentemente imune à morte), Ísis decidiu manter o local de sepultamento em segredo, mas isso criou um dilema: como o povo do Egito poderia homenagear Osíris se não havia tumba para visitar?

A solução que ela teve foi engenhosa: pegou cada parte do corpo de Osíris e criou réplicas completas do deus com especiarias e cera, de modo que, independentemente da parte do corpo apresentada, Osíris pareceria completo. Ísis, então, convocou grupos separados de sacerdotes e concedeu a cada um deles seu próprio "cadáver", explicando que este era o verdadeiro corpo de Osíris e instruindo-os a cuidar dele, enterrando-o em seu distrito e realizando cultos de oferendas diariamente. Honrados, cada grupo de sacerdotes partiu para construir a tumba ao deus morto. Por esse motivo, muitos locais, em todo o Egito, reivindicaram o verdadeiro túmulo de Osíris. Diodoro acrescenta que Ísis jurou nunca se casar novamente e passou o resto da vida governando o Egito. Depois de sua morte, ela ganhou a imortalidade e foi enterrada próximo a Mênfis.

As fontes egípcias sobre o mito de Osíris

Para além da escassez de fontes egípcias sobre o mito da morte de Osíris, há, ainda, um outro elemento complicador, que é o fato de que o mito se modificou ao longo dos milhares de anos da história egípcia, com a primeira referência a ele encontrada nos *Textos das pirâmides* (cf. quadro da p. 129) inscritos nas paredes da pirâmide do Rei Unas, no Reino Antigo.

O relato nos Textos das pirâmides

A partir de referências distribuídas nos encantamentos dos *Textos das pirâmides*, é possível reconstruir a narrativa em que Ísis e Néftis, tomando a forma de pássaros, foram em busca do corpo de Osíris, que havia sido "atirado ao chão" por Seth (aparentemente, porque Osíris o chutou), às margens do rio em Nedyt. Ao encontrar o corpo, Ísis e Néftis fizeram os gestos rituais de luto: Ísis sentou-se com os braços sobre a cabeça, e Néftis agarrou as pontas de seus seios. As deusas conseguiram deter a decomposição de Osíris, evitando que seus fluidos corporais caíssem no chão e impedindo, assim, que seu cadáver cheirasse mal. Finalmente, por meio de ritos mágicos, elas reviveram o irmão.

Uma variante do mito nos *Textos das pirâmides* conta que o corpo de Osíris foi descoberto em Geheset, "Terra das Gazelas", depois de ter sido "derrubado de lado" por Seth. Outros encantamentos, no entanto, indicam que Osíris se afogou, ou que foi jogado na água depois que tinha sido morto. Esse detalhe, de que Osíris morreu por afogamento, é, de fato, corroborado por textos posteriores: uma inscrição, provavelmente do Reino Novo, menciona a ordem dada por Hórus a Ísis e Néftis para que agarrassem Osíris e o salvassem de ser submerso pela água em que se afogou. Um papiro do início da 26ª Dinastia também se refere a Osíris como tendo sido jogado ao rio e flutuado até Imet, no nordeste do Delta.

O Papiro Salt 825

O *Papiro Salt 825*, cujo texto é um "Ritual para a finalização das operações de mumificação", incorpora elementos desse mito e coloca Osíris em Tawer, "A Grande Terra" – uma referência a Abidos, seu principal centro de culto, onde o deus foi encontrado no momento da morte. Seth interceptou Osíris no local e o atacou dentro de

A deusa Ísis como um pássaro.

Nedyt, em Hatdjefau (dois locais em Abidos). Debaixo da árvore *aru*, no décimo sétimo dia do primeiro mês da Inundação[12], Seth cometeu um ato de violência contra Osíris e o jogou nas águas. O deus Nun, como água, levantou-se para cobrir o corpo de Osíris e o levou embora, a fim de esconder seus mistérios. Ao tomar conhecimento desses eventos, Rê foi apressado saber o que havia acontecido. Shu e Tefnut choraram e gritaram, e o cosmos caiu no caos. Os deuses e as deusas colocaram os braços sobre as cabeças, havia noite sem dia, o disco solar se tornou obscuro, e a terra se inverteu, tornando os rios inavegáveis. Os pontos cardeais caíram em desordem, e todos os seres existentes, tanto homens quanto deuses, choraram.

O corpo de Osíris em pedaços?

Embora não haja nenhuma referência explícita nesses fragmentos mitológicos de Seth esquartejando Osíris, como registrado poste-

12. As estações do ano no Egito Antigo se dividiam em três momentos: *Akhet*, a Inundação (junho-setembro); *Peret*, a fase de plantio (outubro-fevereiro); e *Shemu*, a colheita (março-maio) [N.T.].

riormente por Diodoro e Plutarco, nos *Textos das pirâmides* há uma menção de Hórus coletando os pedaços de Osíris, aparentemente depois que Seth desmembrou o irmão e jogou seus restos mortais no Nilo. A inscrição diz: "Eu sou Hórus. Vim buscá-lo para poder purificá-lo, limpá-lo, reanimá-lo, para reunir seus ossos, coletar suas partes que flutuam nas águas e montar as partes desmembradas". Além disso, alguns templos listam partes do corpo de Osíris como sendo enterradas em diferentes locais sagrados; por vezes, descreve--se cada membro como enterrado em um dos nomos do Egito. Um papiro do Reino Novo que registra mitos sobre Osíris e Seth também menciona de forma semelhante o corpo de Osíris em pedaços, e, em um papiro posterior, Tefnut, Ísis e Néftis encontram a omoplata e a tíbia do deus em um arbusto em Letópolis.

◂ CONCEBENDO HÓRUS ▸

Quando Ísis encontrou o corpo de Osíris (ou o reconstruiu), ela usou seus encantamentos para ressuscitá-lo apenas por tempo suficiente para conseguir engravidar. O relato de como Ísis ressuscitou o deus difere dependendo da fonte.

Pairando sobre Osíris morto, Ísis, na forma de um pássaro, concebe Hórus.

Uma tradição tardia no Templo de Hathor, em Dendera, refere-se a Ísis em pé à direita do deus e Toth à sua esquerda. Eles colocam as mãos em diferentes partes do corpo de Osíris, realizando a "cerimônia de abertura da boca" (cf. p. 170-171), a fim de revigorá-lo (esse ritual era praticado por sacerdotes egípcios sobre a múmia, a fim de "despertar" os mortos prontos para sua jornada na vida após a morte). Em outra tradição, Ísis, na forma de um pássaro, bate suas asas para dar a Osíris o sopro da vida:

> *A irmã era sua guardiã, ela que afasta os inimigos, que interrompe as ações do perturbador [Seth] pelo poder de sua expressão.*
> *A de língua inteligente, cuja fala não falha, eficaz na palavra de comando, a poderosa Ísis que protegia seu irmão, que buscava por ele sem se cansar, que vagava pela terra lamentando-o, não descansando, até que o encontrou e fez-lhe sombra com sua plumagem, criou a respiração com suas asas, que exultou, juntou-se ao irmão, levantou a inércia do cansado, recebeu a semente, deu à luz o herdeiro…*
> (O GRANDE HINO A OSÍRIS, ESTELA DE AMENMOSE)

O momento da concepção foi marcado por um relâmpago, o que provocou medo nos deuses. Sabendo que Seth procuraria por ela, Ísis pediu aos deuses que protegessem o filho ainda não nascido que estava em seu útero, mas Atum exigiu saber como ela poderia ter certeza de que a criança era um deus. A deusa lembrou-o que ela era Ísis e que a criança era a semente de Osíris. Essa declaração convenceu Atum, que decretou que Seth deveria ficar longe de Ísis enquanto ela estivesse grávida e que Werethekau (a "Grande encantadora"), uma deusa serpente, a protegeria contra Seth.

◀ SETH ROUBA O CORPO DE OSÍRIS DO WABET ▶

Mesmo depois que o corpo de Osíris foi reconstruído, ainda havia a necessidade de protegê-lo de Seth: no início, somos informados que

Nut se espalhou sobre Osíris para escondê-lo do inimigo, e, mesmo quando Anúbis estava mumificando o corpo de Osíris (o processo de embalsamamento era uma das muitas funções do deus), Seth continuou representando uma ameaça. Um dia, quando o crepúsculo se aproximava, Seth descobriu a hora em que Anúbis deixaria o corpo de Osíris sozinho no *wabet* (o local de embalsamamento). Para evitar ser detectado, o deus trapaceiro se transformou em Anúbis, e, conforme planejado, os guardas não o reconheceram. Retirando o corpo de Osíris de dentro do *wabet*, ele navegou pelo rio, carregando o cadáver em direção ao Oeste. Anúbis logo soube o que havia acontecido e, juntamente com os deuses de sua comitiva, saiu em perseguição. Quando se encontraram, Seth assumiu a forma de um touro para intimidar o deus com cara de cachorro, mas Anúbis capturou Seth e o amarrou pelos braços e pelas pernas, cortando seu falo e seus testículos. Com o inimigo derrotado, Anúbis colocou o corpo de Osíris nas costas para devolvê-lo ao *wabet* e confinou Seth a um local de tortura em Saka, no 17º nomo do Alto Egito.

Em outra ocasião, Seth se transformou em um grande gato após atacar novamente o corpo de Osíris, mas foi capturado e marcado; essas marcas criaram as manchas do leopardo. Mais tarde, Seth novamente roubou o corpo de Osíris depois de se transformar em Anúbis (afinal de contas, era um bom plano, valia a pena tentar mais de uma vez). Como antes, foi capturado, mas, dessa vez, foi condenado a passar o resto da vida como um assento para Osíris.

Seth, provavelmente por não querer passar a eternidade como suporte para as nádegas de um cadáver, fugiu para o deserto e foi perseguido por Anúbis e Toth, que usaram suas magias para derrubá-lo. Os braços e as pernas de Seth foram amarrados, e os deuses decidiram queimá-lo, na esperança de se livrar dele de uma vez por todas. O cheiro de gordura queimada chegou ao céu, "e Rê e os deuses consideraram [o odor] agradável". Anúbis, então, esfolou Seth e vestiu sua pele. Com o traje macabro, Anúbis se encontrou com os seguidores do inimigo e se misturou a eles na encosta de

Osíris e os Bórgias

Em 1493, o Papa Alexandre VI (Rodrigo Bórgia) encomendou ao pintor Pinturicchio uma série de afrescos em seus apartamentos privados no Vaticano. Essas pinturas incluíam, entre as esfinges aladas e as palmas nilóticas, representações do mito de Osíris e do touro sagrado Ápis. Embora seja um contexto incomum para tais imagens pagãs, o tema foi inspirado no trabalho criativo de Giovanni Nanni, secretário do Papa, quem registrou a ascendência de Alexandre VI até Ísis e Osíris e afirmou que Osíris trouxera a sabedoria do Egito para a Itália durante sua jornada ao redor do mundo. O vínculo familiar foi fortalecido pela presença de um touro no brasão da família Bórgia; isso foi reinterpretado como uma representação do sagrado touro Ápis, que, por extensão, associava o Papa a Osíris como instrutor para a humanidade.

uma montanha até o anoitecer, quando colocou o plano violento em ação. Com um único golpe de espada, Anúbis cortou suas cabeças, deixando o sangue dos corpos decapitados escorrer pela montanha.

Mas Seth não foi o único problema que Anúbis enfrentou ao mumificar Osíris: o processo em si parece ter sido muito pesado para o deus. Um mito relata como o deus com cabeça de cachorro ficou perturbado e se transformou em lagartos que rastejaram para fora do *wabet* a fim de contar às pessoas os horrores que tinha visto – provavelmente o corpo sem vida de Osíris. Ao ouvir essa notícia, todos os deuses ficaram chateados e choraram.

◀ OS RITOS FUNERÁRIOS DE OSÍRIS ▶

Depois que Osíris foi devidamente mumificado, Rê ordenou que um funeral fosse realizado para o deus. Anúbis deveria presidir as cerimônias funerárias, e Geb o auxiliou com os preparativos oficiais. Enquanto a procissão funerária percorria o Nilo, aqueles que estavam de luto vigiavam os seguidores de Seth e, num determinado ponto do trajeto, foram atacados por criaturas reptilianas que se transformaram em gado. O cortejo funerário conseguiu se desviar deles com sucesso e seguiu para Abidos, onde o funeral foi realizado, com Ísis e Néftis chorando o tempo todo. Depois disso, foram realizadas festividades, e os deuses ficaram satisfeitos. Para proteger o corpo de Osíris, Anúbis cercou o cemitério com cobras, chamadas de "os deuses que guardam Osíris".

◄ OSÍRIS COMO REI DOS MORTOS "JUSTOS DE VOZ" ►

Embora a magia de Ísis tenha revivido Osíris por tempo suficiente para ela conceber um filho, o deus assassinado não voltou plenamente à vida no mundo dos vivos. Em vez disso, a ressurreição de Osíris foi confinada ao Duat, onde ele governou como rei os mortos justificados. Ele estava confinado a esse lugar e só podia se comunicar com os que estavam no mundo dos vivos por meio de mensageiros. Como a força da regeneração no mundo, Osíris se unia ao deus do sol enfermo no meio de cada noite, fornecendo-lhe energia suficiente para ressurgir no Oriente todas as manhãs e continuar seu circuito. Ele também presidia o julgamento dos mortos, observando o coração do falecido enquanto era pesado contra a pena de *maat* (cf. cap. 8).

◂ 4 ▸

O REINADO DE SETH E O TRIUNFO DE HÓRUS

Com Osíris morto, Seth ascendeu ao trono do Egito. A duração de seu reinado muda dependendo da fonte, mas o Cânone Real de Turim lhe dá pelo menos 100 anos, enquanto *Aegyptiaca*, de Maneto – uma composição do Período Ptolomaico que só sobreviveu em fragmentos de citações posteriores, por vezes manipulados –, dá 29 ou 45 anos. Durante esse tempo, Seth "inundou a terra com seus desígnios malignos", auxiliado por seus seguidores nas cidades e nos nomos onde seu culto era mais forte, particularmente o 19º Nomo do Alto Egito e o 11º Nomo do Baixo Egito.

Ramsés III é coroado por Hórus (à esquerda) e Seth (à direita), rivais divinos para a realeza.

Um dos primeiros atos de Seth como faraó foi aprisionar Ísis e Néftis na casa de fiação de Sais. Lá, o coração de Ísis ficou pesado, e seus olhos afundaram de tanto chorar. Não está claro quanto tempo esse encarceramento durou, mas foram vários meses, já que Seth lhe atribuía trabalho a cada 30 dias. Outros mitos relatam que Seth trancou Néftis em sua própria casa, mas ela se voltou contra ele e escapou para ajudar Ísis, deixando para trás o filho gerado de seu marido assassino. A identidade desse filho de Seth não é clara, mas é atribuída, por vezes, a Maga, um crocodilo agressivo, que dizem ter mordido o braço esquerdo de Osíris. O ato violento de Maga e sua subsequente negação de ter engolido o braço divino fizeram com que sua cidade fosse amaldiçoada e sua língua, cortada. Néftis deu a Seth mais filhos, mas nutria uma paixão sexual por Osíris – talvez uma das razões pelas quais Seth assassinou o irmão. Pela traição, Néftis viveu com medo de que Seth pudesse matá-la como retaliação. No entanto, ela ainda protegeu o corpo de Osíris enquanto se escondia do marido.

◀ O NASCIMENTO E A JUVENTUDE DE HÓRUS ▶

O nascimento de Hórus no *Papiro Thicket*

> *Ó malfeitor [Seth], seu crime é dirigido contra você.*
> *Nosso senhor está em sua casa e não temerá. A criança*
> *é superior a você. Ela viverá e seu pai viverá.*
> (PAPIRO MMA 35.9.21)

Quando finalmente escapou da casa de fiação, Ísis, que estava grávida, se escondeu no nordeste do Delta, em um lugar chamado Khemmis. De acordo com o historiador grego Heródoto, esta era uma ilha flutuante em Buto (embora ele tenha notado que não estava flutuando durante sua visita). Após dez meses de gravidez, Ísis deu à luz Hórus nesse local. Infelizmente, Seth ficou sabendo do nascimento, porque sua cama tremeu no momento do parto e ele acordou. Ísis, então,

O deus Hórus com cabeça de falcão usando a Coroa Dupla do Alto e do Baixo Egito.

criou Hórus "na solidão, sua morada desconhecida" nos pântanos do Delta. Quando jovem, ele foi protegido pela magia de Ísis, e várias deusas agiram como suas amas e servas, incluindo Néftis, Wadjet e Nekhbet. Hathor, como a vaca divina, serviu como ama de leite de Hórus, assim como Néftis.

Seth saiu em busca do jovem Hórus por muitos anos, arrancando papiros e queimando os pântanos em sua busca, mas Ísis tomou medidas de proteção para garantir que o rei enfurecido não pudesse encontrá-lo, tomando Hórus em seus braços e seguindo em frente sempre que sentia o ódio destrutivo de Seth. Certa vez, Hórus de Behdet (cf. quadro da p. 56), que jurou proteger a criança antes mesmo do seu nascimento, chegou com sua frota para proteger Hórus e Ísis de Seth e seus seguidores. Uma grande batalha foi travada no rio entre as duas forças, e Seth se transformou em um hipopótamo, mas

Hórus de Behdet foi vitorioso, pois se transformou em um jovem forte e armado com um arpão, usado para atacar o inimigo.

Doenças e dificuldades enfrentadas por Hórus na juventude

Apesar da ajuda divina, Hórus o Menino continuou a encontrar problemas, tanto por doenças quanto por criaturas perigosas que o perturbavam (para o contexto mais amplo desses mitos, consulte o cap. 6). Um dos problemas que ele enfrentou, no entanto, é comum a crianças (e adultos!) em todo o mundo até hoje: os pesadelos. Ele disse: "Venha para mim, minha mãe Ísis! Olhe, eu vejo algo que está longe de mim, em minha própria cidade!" E Ísis respondeu:

> *Veja, meu filho Hórus. Revele o que viu – de modo*
> *que sua mudez se encerre, para que as aparições de seu sonho*
> *sejam afastadas! Um fogo saltará contra aquilo que o assustou.*
> *Veja, vim vê-lo para poder afastar seus aborrecimentos,*
> *para poder aniquilar todas as doenças. Salve! A você, bom sonho!*
> *Que a noite seja vista como o dia! Que todas as doenças causadas*
> *por Seth, filho de Nut, sejam expulsas. Vitorioso é Rê sobre seus*
> *inimigos, sou vitoriosa sobre meus inimigos.*
> (PAPIRO CHESTER BEATTY III)

As dores físicas também afligiram Hórus; estas, às vezes, eram atribuídas a demônios ou vermes. Em vários contos, descobrimos que essas dores eram, especificamente, dores de estômago. Depois de comer um peixe *abdu* dourado na borda do lago puro de Rê, o estômago de Hórus doeu tanto que ele teve que passar o dia deitado. Em outra ocasião, Ísis trouxe uma medida de *oip* para purgar a dor da barriga do filho.

Por vezes, as dores penetravam no corpo de Hórus na forma de demônios quando mamava em sua mãe; um desses demônios deixou seu coração cansado e seus lábios lívidos, então Ísis, Néftis e o enfraquecido Hórus foram visitar homens, criadas e enfermeiras para aprender o que eles haviam feito no passado para curar os próprios filhos de possessões semelhantes. Em outras ocasiões, a dor se manifesta como dores de cabeça:

> *Veja, ela veio, eis Ísis, ela veio, balançando os cabelos*
> *como uma mulher enlutada, de aparência desordenada*
> *como o cabelo de seu filho Hórus, por causa do esmagamento*
> *de sua cabeça, do franzir de suas mechas por Seth, filho de Nut,*
> *durante a luta no Grande Vale!*
> (PAPIRO BUDAPESTE 51.1961)

Hórus também sofreu queimaduras:

> *Ele não sabe disso e vice-versa. Sua mãe não está presente,*
> *quem pode conjurá-lo... O menino era pequeno, o fogo estava*
> *poderoso. Não havia ninguém que pudesse salvá-lo disso. Ísis*
> *saiu da casa de fiação [na] hora em que soltou*
> *seu fio. Venha, minha irmã Néftis! [...] Mostre-me o meu*
> *caminho para que eu possa fazer o que sei [fazer], para que eu*
> *possa extinguir para ele com meu leite, com o líquido salutar de*
> *meus seios. Será aplicado ao seu corpo para que seus órgãos se*
> *tornem sãos. Eu farei retroceder o fogo que o atacou!*
> *Hórus o Menino está no ninho. Um fogo caiu em seu corpo.*
> (PAPIRO DO MUSEU BRITÂNICO 10059)

Os problemas de Hórus também poderiam ser menos dramáticos: um mito conta como ele chorou no campo porque seu gado estava sendo incomodado por animais selvagens, incluindo leões, chacais e hienas.

Ísis e os sete escorpiões

Mitos mais longos sobre a juventude de Hórus tratam de temas semelhantes, e o mais detalhado é o "Mito de Ísis e os sete escorpiões". Nesse mito, Ísis escapa de sua prisão, a casa de fiação de Sais, e é visitada por Toth, que a avisa sobre os planos de Seth para prejudicar o seu filho. Ele a aconselha a se esconder até que Hórus atinja a idade adulta em segurança e possa desafiar o tio malvado.

Cientes da reputação de Toth como um deus sábio, Ísis e Hórus partiram naquela noite, carregados em seu palanquim e escoltados por sete escorpiões (manifestações da deusa-escorpião Serqet) para sua proteção: três à frente, dois dentro e dois atrás. Os escorpiões são instruídos a não falar com ninguém, seja nobre ou camponês, e a manter o rosto abaixado na estrada, para que Seth não receba nenhuma mensagem até que eles cheguem à "Casa do crocodilo", na "Cidade das Duas Irmãs", na fronteira do Delta.

Um dia, enquanto viajavam, Ísis, Hórus e os escorpiões se aproximaram de várias casas pertencentes a uma mulher rica e casada, que os avistou de longe e garantiu que todas as portas estivessem fechadas. Isso irritou os sete escorpiões, que decidiram se vingar. Enquanto Ísis e os outros escorpiões descansavam na casa de uma

Ísis e Hórus em imagens cristãs

Com a conversão do Império Romano ao Cristianismo no século IV d.C., as práticas culturais associadas às religiões pagãs do império foram assimiladas, facilitando a adoção do novo sistema de crenças. No Egito, no entanto, o cristianismo estava se espalhando por todo o país desde o século II d.C., permitindo que ideias tradicionais egípcias penetrassem na religião em desenvolvimento desde o seu estágio inicial. Para a população do Egito, bem como para as pessoas do mundo romano em geral, estátuas e representações de Ísis segurando ou amamentando a criança Hórus eram imediatamente reconhecidas, graças ao crescimento, relativamente recente, do culto a Ísis em todo o Mediterrâneo, bem como à antiguidade dessa iconografia. Consequentemente, seja pelos coptas ou pelos romanos convertidos, essas imagens podem ter servido de inspiração para a iconografia de Nossa Senhora com o Menino – representações convencionais que permanecem conosco até hoje. Da mesma forma, as imagens do deus Hórus atacando Seth na forma de um hipopótamo ou um crocodilo (ou mesmo imagens de Seth matando Apófis) com um arpão, representativas da derrota da desordem, eram populares no Período Romano, e talvez ícones que inspiraram São Jorge e o dragão.

Serqet em forma humana com o símbolo de um escorpião na cabeça.

camponesa nos pântanos, o escorpião Tefen, com seu ferrão armado e envenenado com a combinação dos venenos de cada um dos sete escorpiões, correu sob a porta da casa da mulher rica e picou o seu filho. Foi como se um incêndio tivesse ocorrido na casa, e a senhora começou a se lamentar. Ela não sabia se o filho estava vivo ou morto e vagava pela cidade chorando, mas ninguém veio socorrê-la.

Ísis ficou preocupada com a criança, pois entendia que o filho não poderia ser responsabilizado pelo egoísmo da mulher rica. Ísis gritou para ela, anunciando que sua boca carregava vida e explicando que era bem conhecida em sua cidade por dissipar doenças venenosas com palavras de poder. Dentro da casa da mulher rica, Ísis colocou as mãos sobre o menino e pronunciou o nome de cada um dos sete escorpiões por vez. Por saber seus nomes verdadeiros, Ísis teve poder sobre eles. Ela ordenou que o veneno deixasse a criança, e ele rapidamente se recuperou. Ísis, então, castigou os escorpiões, lembrando-os de que estavam proibidos de falar com qualquer pessoa e acrescentando que deveriam cuidar para não comprometer seus nomes nas províncias. Depois, ela disse-lhes para manterem suas cabeças baixas até que pudessem alcançar o esconderijo em Khemmis. Testemunhando esses eventos, a mulher rica viu o erro de suas ações e doou seus bens a Ísis e à camponesa.

Hórus é envenenado

Com Hórus escondido em segurança na vegetação de Khemmis, Ísis passou os dias mendigando, juntando comida para alimentar o filho e cuidando de suas necessidades. Um dia, porém, ela voltou e encontrou o jovem deus inconsciente. Lágrimas de seus olhos e saliva de seus lábios umedeceram as margens do rio. Hórus estava com o corpo mole, o coração fraco e não conseguia mamar. Em pânico, Ísis chamou os aldeões locais, implorando que a auxiliassem, mas nenhum deles conhecia um feitiço para curar o jovem. Então uma mulher chegou para ajudar, uma pessoa de destaque na região. Ela lembrou a Ísis que Hórus estava a salvo de Seth em Khemmis, então a doença não poderia ter sido causada por ele, e sugeriu que Hórus fosse examinado, em busca de quaisquer sinais de picadas de escorpião ou cobras.

Inclinando-se para perto do filho, Ísis sentiu o cheiro que emanava da boca de Hórus e, rapidamente, percebeu o que estava errado. Abraçando Hórus e chorando, ela gritou: "Ó, Rê, Hórus foi mordido!" Seus gritos trouxeram Néftis; juntas, elas choraram, e o som desse choro ecoou pelos pântanos. Logo depois, a deusa Serqet chegou, perguntando a Ísis o que havia de errado e aconselhando-a a gritar para o céu, a fim de chamar a atenção da barca do sol: "A tripulação de Rê vai parar e o barco de Rê não prosseguirá enquanto o menino Hórus estiver deitado de lado!"

Ísis gritou em direção ao céu, fazendo com que o disco solar interrompesse seu percurso. Com sua magia, Toth desceu do barco solar para investigar e, ao encontrar Ísis com Hórus doente, enfatizou a importância da segurança de Hórus para si mesmo e para os outros deuses seguidores de Rê. Ísis não se surpreendeu: "Toth, quão grande é sua inteligência, mas quão lentos são seus planos!" Ela reclamou, dizendo que haviam acontecido incalculáveis infortúnios.

"Veja, Hórus está em perigo por causa do veneno! O mal é uma ação do meu irmão. A morte é sua destruição final."

Depois de ouvir atentamente, Toth acalmou Ísis, dizendo-lhe para não ter medo: ele havia descido do céu com o sopro da vida para reviver Hórus. Após tranquilizá-la, começou a recitar um longo encantamento que associava a proteção de Hórus a uma série de seres divinos, criaturas e lugares. Suas palavras poderosas destruíram o veneno, expulsando-o do corpo do menino. Toth, então, disse aos moradores para voltarem a suas casas e, a pedido de Ísis, lançou um feitiço para impedi-los de reconhecer sua verdadeira identidade no futuro. Com a crise evitada, Toth voltou ao céu, e o barco solar continuou seu caminho, deixando Hórus e Ísis em anonimato e segurança.

◄ INCIDENTES DE ESTUPRO E INCESTO DURANTE O REINADO DE SETH ►

Assim como Hórus viveu com medo da violência de Seth enquanto crescia em Khemmis, sua mãe também enfrentou perigos consideráveis. Ísis sofreu muito nas mãos de Seth, que roubou seus pertences e abusou sexualmente dela em mais de uma ocasião durante seu reinado. Um mito conta como Ísis ficou grávida e deu à luz prematuramente depois que Seth a estuprou no 19º Nomo do Baixo Egito. A criança nasceu semiformada, como uma íbis negra misturada com um babuíno. Em outra ocasião, Seth amarrou Ísis e, novamente, tentou estuprá-la, mas ela agarrou seu pênis com os músculos vaginais, impossibilitando que Seth o retirasse.

Liderando uma campanha contra Seth, Ísis se transformou na deusa agressiva Sekhmet e se escondeu em um *gebel* (um alto afloramento rochoso). De lá, ela enviou uma chama contra os seus inimigos e os queimou. Seth, no entanto, avistou Ísis e, reconhecendo a verdadeira identidade, se transformou em um touro para persegui-la e agredi-la sexualmente. Por sua vez, Ísis se transformou em um cachorro, armado com uma faca na ponta do rabo. Nessa forma, ela conseguiu fugir de Seth, deixando o deus excitado ejacular no chão. Ísis riu dele, dizendo: "É uma abominação ter espalhado [sua semente], ó, Touro". Deixando Seth para trás, ela se transformou em uma cobra e viajou para uma montanha, de onde poderia observar os movimentos dos aliados de Seth. Enquanto eles cruzavam o 19º Nomo em direção ao Gebel Oriental, ela picou um a um, e o veneno penetrou seus corpos. Eles morreram imediatamente, e seu sangue se espalhou pela montanha.

◀ O RETORNO DO REI ▶

Hórus foi desamarrado[13] *de seu peito para você, para que ele pudesse pegar os seguidores de Seth. Agarrá-los, remover suas cabeças, cortar suas pernas dianteiras e estripá-los, tomar seus corações e beber seu sangue.*
(TEXTO DAS PIRÂMIDES 535)

A conclusão do mito de Hórus trata do jovem deus atingindo a idade adulta e finalmente confrontando seu tio Seth, exigindo a coroa como herdeiro legítimo de Osíris. Como sempre, há muitas variações da história, embora o relato mais detalhado, hoje referido como "As contendas de Hórus e Seth", seja encontrado no *Papiro Chester Beatty I*, do Reino Novo.

As contendas de Hórus e Seth

Como se poderia esperar, quando Hórus exigiu a coroa perante o Senhor Universal, Rê-Horakhty, Seth se recusou a abdicar em favor de seu sobrinho, e muitos dos deuses apoiaram sua decisão; outros, entretanto, ofereceram apoio a Hórus, levando a uma disputa legal que durou 80 anos.

Desde o início, as discussões foram acaloradas. Shu, que havia sido rei anteriormente, afirmou que o cargo de governante deveria

13. As mulheres egípcias carregavam seus filhos em faixas junto ao corpo. Há muitas representações de mulheres amamentando, inclusive a deusa Ísis, com essa faixa que ajudava a segurar o bebê [N.T.].

O deus Banebdjedet.

ser dado a Hórus. O sábio Toth apoiou essa decisão, levando Ísis a presumir prematuramente o sucesso de seu filho. Ela exigiu que o vento norte levasse as boas-novas para o Oeste, para que chegasse a Osíris no Duat. Shu ficou satisfeito por Toth tê-lo apoiado, mas o Senhor Universal, presidindo a corte, ficou zangado com a presunção deles, pois ainda não havia manifestado sua opinião.

"Qual é o motivo da autoridade exercida por vocês?", o Senhor Universal gritou, e, então, ficou sentado em silêncio por um curto período de tempo, furioso com a Enéade. Sentindo que tinha um aliado, Seth interveio, pedindo que ele e Hórus fossem dispensados do lado de fora, garantindo ao deus que "as mãos dele prevaleceriam sobre as suas"; parece que ele queria resolver a situação com socos.

Toth, sempre diplomático, perguntou: "Não deveríamos averiguar quem é o impostor? O cargo de Osíris será concedido a Seth enquanto seu filho Hórus ainda está por perto?"

O Senhor Universal ficou ainda mais furioso. Ele queria conceder a coroa a Seth, mas as coisas estavam caindo no caos. Onúris gritou: "O que vamos fazer?" E Atum sugeriu que o deus Banebdjedet fosse convocado no tribunal para ajudar no julgamento do caso. O tribunal concordou, e o deus foi chamado. Após sua chegada (junto com

Ptah-Tatenen, que parece ter pegado carona), no entanto, Banebdjedet se recusou a tomar uma decisão e sugeriu que os deuses escrevessem para a deusa Neith pedindo a sua opinião sobre o assunto (e para fazer tudo o que ela sugerisse). Assim, Toth redigiu uma carta e a enviou, perguntando o que deveriam fazer. Felizmente, Neith foi mais decisiva do que Banebdjedet, dizendo: "Conceda o cargo de Osíris a seu filho Hórus. Não cometa tais atos flagrantes de injustiça, que são impróprios, ou ficarei tão furiosa que o céu tocará o solo. E que o Senhor Universal, o Touro que reside em Heliópolis, seja informado: 'Enriqueça Seth em suas posses. Dê a ele Anath e Astarte, suas duas filhas, e instale Hórus na posição de seu pai Osíris'".

A carta de Neith chegou a Toth enquanto ele e a Enéade estavam na corte de "Hórus de chifres proeminentes". Toth leu em voz alta para seus colegas, e, juntos, declararam Neith correta, mas o Senhor Universal, novamente, ficou furioso e declarou sua raiva contra Hórus, dizendo que ele era desprezível, inadequado para o cargo e tinha mau hálito. Onúris ficou furioso, assim como o Conselho dos Trinta. O deus Babi ficou tão irritado que disse ao Senhor Universal que seu santuário estava vazio, um comentário particularmente doloroso para um deus, porque implicava que ele não tinha seguidores. O Senhor Universal, profundamente ofendido e triste, foi se deitar pelo resto do dia. A Enéade, percebendo que Babi tinha ido longe demais, castigou o deus, dizendo-lhe "Saia!" antes de voltar para as tendas.

Hathor, filha do Senhor Universal, se apresentou na tenda do pai e, inesperadamente, expôs suas partes íntimas para fazê-lo rir. Agora, animado o suficiente para reunir-se à Grande Enéade, o Senhor Universal pediu a Hórus e Seth que cada um argumentasse por que deveriam ser reis. Seth foi o primeiro, apontando que ele era o mais viril dos deuses e que matava Apófis – o inimigo de Rê – todas as noites na proa do barco do deus do sol; nenhum outro deus havia sido capaz de fazer isso, ele acrescentou. Os deuses ficaram impressionados e declararam que Seth estava correto, mas Toth e Onúris lembraram a todos que é sempre um erro que o tio herde o trono quando o filho do rei morto ainda vive. Banebdjedet, finalmente, expôs sua opinião e ficou ao lado de Seth. O Senhor Universal disse algo tão chocante que sequer foi escrito; tudo o que ele disse, porém, afetou os deuses tão profundamente que todos ficaram tristes.

Foi, então, a vez de Hórus falar. Ele explicou como, na sua visão, era errado ele ser enganado na presença da Enéade e privado do cargo do pai. Infelizmente, não teve muito tempo para falar, pois Ísis o interrompeu, exclamando que o assunto deveria ser levado a Atum de Heliópolis e a Khepri em sua barca. Os deuses concordaram e, juntos, disseram a ela para não se enraivecer, porque "os direitos serão dados a quem tem razão". Isso enfureceu Seth, que fez um juramento, afirmando que pegaria seu enorme cetro e mataria um deus a cada dia, e não compareceria ao tribunal se Ísis estivesse presente. O Senhor Universal, um fervoroso apoiador de Seth, decretou que os deuses deveriam navegar para a "Ilha no Meio" (talvez no Nilo) para continuar ouvindo, deixando Ísis para trás. Ele proibiu o barqueiro – o deus Nemty – de transportar qualquer mulher para a ilha, especialmente qualquer uma que se parecesse com Ísis.

Os deuses viajaram para a ilha imediatamente e, ao chegar, sentaram-se sob as árvores para comer pão. Enquanto isso, Ísis, que não desistia facilmente, transformou-se em uma velha senhora curvada usando um anel de ouro no dedo e se aproximou de Nemty, o barqueiro, pedindo passagem para a ilha. Ela disse que estava levando uma tigela de farinha para um jovem faminto que cuidava do seu gado havia cinco dias. Nemty estava em conflito; ele conhecia as ordens, mas viu apenas uma velha senhora inofensiva diante dele, que o lembrou de que, na verdade, era apenas Ísis que ele não podia atravessar, e esta não se encontrava em lugar nenhum. Ela lhe entregou um bolo em troca da passagem, mas Nemty não se impressionou, então Ísis lhe ofereceu seu anel de ouro. Com a ganância agora saciada, Nemty cedeu e a levou em seu barco para a ilha proibida.

Ao chegar, Ísis encontrou o Senhor Universal sentado, comendo com seus companheiros, os outros deuses. Para atrair Seth, ela se transformou em uma linda mulher e, imediatamente, chamou a sua atenção. Seth a seguiu com curiosidade, e Ísis disse a ele que era esposa de um pastor e que lhe dera um filho, mas que, quando o marido morreu, o filho foi deixado sozinho para cuidar do gado. Então um estranho veio e se estabeleceu em seu estábulo, ameaçando espancar o filho, confiscar o gado e despejá-lo. Ísis virou-se para Seth e perguntou a opinião dele sobre esses acontecimentos, acrescentando que queria que ele fosse seu herói nesses assuntos. O deus, extasiado por essa bela mulher à sua frente, não hesitou: "O gado deve ser dado ao estranho enquanto o filho do homem ainda está por perto?" Ele acrescentou que o impostor deve ser espancado com uma vara no rosto e despejado, e que o filho deve ser colocado em seu lugar.

Ísis, satisfeita por ter trapaceado Seth, se transformou, então, em um pássaro e se empoleirou no galho de uma acácia, fora do alcance de Seth. Disse ao deus que ele deveria se envergonhar, porque condenou a si mesmo com a própria boca, e sua própria esperteza o havia julgado. Desatando a chorar, Seth correu para o Senhor Universal, que concordou que ele realmente se condenou. Em retribuição por permitir que Ísis entrasse na ilha, Seth exigiu que Nemty fosse punido, então o infeliz deus foi arrastado para a presença das divindades na ilha e teve os dedos dos pés cortados. Daquele dia em diante, Nemty passou a odiar ouro.

Por insistência de Atum e Rê-Horakhty, os deuses coroaram Hórus rei, mas Seth, enfurecido, o desafiou para um duelo. Para determinar o rei legítimo, ele disse, os dois deveriam se transformar em hipopótamos e mergulhar nas profundezas do mar; o vencedor seria o deus que pudesse permanecer debaixo d'água por três meses. Enquanto sentavam-se debaixo d'água, Ísis criou um arpão e o arremessou no mar. Seu primeiro lançamento atingiu o próprio filho: horrorizada, ela recolheu o arpão e mirou novamente em Seth. Dessa vez, o instrumento encontrou seu alvo, mas Seth, chamando-a para lembrar que ele era seu irmão, convenceu Ísis a libertá-lo. Hórus sentiu-se traído pela mãe. Ele emergiu da água com o rosto tão feroz quanto uma pantera do Alto Egito e, num momento de raiva, decapitou a mãe, que se transformou em uma estátua de sílex sem cabeça. Pegando a cabeça da mãe nas mãos, Hórus, então, desapareceu montanha acima.

O Senhor Universal, furioso com esse ato, decidiu que Hórus deveria ser punido pelos deuses. Assim, eles subiram a montanha em busca do jovem deus. Seth o encontrou deitado à sombra de uma árvore, e os dois começaram a lutar. Seth, muito mais forte que Hórus, derrubou o filho de Osíris no chão antes de arrancar seus olhos e enterrá-los. Satisfeito consigo mesmo, Seth deixou Hórus cego e sozinho, voltando para os companheiros deuses e dizendo ao Senhor Universal que havia falhado em encontrar o jovem inimigo. Enquanto os deuses continuavam procurando por Hórus, seus olhos se transformaram em flores de lótus. Pouco depois, Hathor encontrou Hórus, que estava chorando de dor sob a sua árvore. Para curá-lo, ela ordenhou uma gazela, derramando o leite nas órbitas oculares do deus, que estavam vazias, a fim de que fossem curadas.

Uma estatueta do Rei Tutancâmon com um arpão.

Esses atos de violência implacável foram demais para os deuses do tribunal. O Senhor Universal pediu que Hórus e Seth resolvessem seus problemas amigavelmente durante uma refeição ou uma jarra de vinho, assim ele e os outros deuses teriam um pouco de paz. Aceitando a sugestão, Seth convidou Hórus para jantar em sua casa, onde comeram, beberam e, finalmente, foram tirar uma soneca na cama de Seth. Durante a noite, Seth ficou excitado e colocou seu pênis entre as coxas de Hórus. Surpreso, Hórus pegou o sêmen de Seth com as mãos e correu para contar à sua mãe o que havia acontecido. Ísis cortou as mãos de Hórus, jogando-as no rio, e usou sua magia para criar novas mãos. Suspeitando que isso era parte de algum projeto maligno maior de Seth, ela excitou Hórus esfregando pomadas perfumadas em seu falo e coletou o sêmen em um pote. Então, carregando esse pote, ela borrifou o sêmen de Hórus por todo o jardim de Seth, de modo que mais tarde, naquela noite, quando ele fosse comer a alface que ali crescia, ficasse impregnado com o sêmen de Hórus.

Novamente perante a Grande Enéade, Hórus e Seth foram solicitados a apresentar seus casos. Dessa vez, Seth anunciou que ele deveria ser rei porque havia realizado "a obra de um homem" contra Hórus. A Enéade gritou e cuspiu no rosto de Hórus, mas ele riu. "Tudo o que Seth diz são mentiras", disse Hórus. "Convoque o sêmen, e veremos de onde ele responde." Toth se adiantou e colocou as mãos nos ombros de Hórus, dizendo: "Saia, sêmen de Seth!" O sêmen respondeu vindo de alguns pântanos próximos. Ele, então, colocou as mãos nos ombros de Seth e disse: "Saia, sêmen de Hórus!" O sêmen perguntou por onde deveria sair, e Toth sugeriu que fosse pelas orelhas de Seth; então o sêmen se ergueu como um disco solar dourado. Seth ficou furioso e tentou agarrar o disco, mas Toth, calmamente, o tirou da cabeça de Seth, colocando-o sobre a sua como uma coroa. A Enéade declarou, assim, que Hórus estava certo e Seth, errado.

Enfurecido, Seth, mais uma vez, desafiou Hórus para um duelo. Agora, ele exigia uma corrida em barcos de pedra, dizendo que o vencedor conquistaria a realeza. Hórus construiu seu navio de cedro e o engessou para se parecer com um barco de pedra; ninguém percebeu sua artimanha. Seth, por outro lado, removeu o topo de uma montanha e esculpiu seu navio nela. A Enéade se alinhou ao longo da margem para assistir Seth lançar seu navio, mas ele afundou assim que tocou a água. Irritado e furioso, Seth se transformou em um hipopótamo e afundou a embarcação de Hórus, que, por sua vez, pegou um arpão e o arremessou em Seth, mas a Enéade exigiu que ele parasse. Hórus navegou com o navio danificado até Sais para falar com Neith, reclamando que já era hora do julgamento ser realizado, pois o caso se arrastava por 80 anos. A cada dia, ele havia provado ser o legítimo rei do Egito, resmungou, mas Seth, de forma insistente, ignorara a decisão da Enéade.

Toth, então, sugeriu ao Senhor Universal que uma carta fosse escrita a Osíris, para que ele pudesse decidir entre Hórus e Seth. Aflito, Osíris respondeu: "Por que meu filho Hórus seria enganado quando fui eu quem tornou você poderoso e fui eu quem criou a cevada e o trigo para sustentar os deuses, bem como o gado, quando nenhum deus ou nenhuma deusa foi competente o suficiente para isso?" O Senhor Universal não gostou da resposta de Osíris e escreveu de volta para ele, dizendo que, mesmo que Osíris não tivesse nascido, a cevada e o trigo ainda teriam existido. Em sua resposta, Osíris decidiu ser mais direto sobre seus desejos. Enfureceu-se, porque o Senhor Universal havia transformado a injustiça em feito e permitido que a justiça fosse para as profundezas do Duat. Osíris, então, acrescentou uma ameaça não tão velada:

> *Quanto à terra em que estou, ela está repleta de*
> *mensageiros que não temem nenhum deus ou deusa. Eu tenho poder*
> *para enviá-los, e eles trarão de volta o coração de*
> *quem comete crimes e estarão aqui comigo.*
> ("AS CONTENDAS DE HÓRUS E SETH")

Toth leu a carta de Osíris em voz alta para a Enéade, que, rapidamente, proclamou Hórus correto, talvez temendo por seus corações, mas Seth desafiou Hórus mais uma vez, exigindo que eles fossem para a Ilha no Meio para lutar novamente. Isso foi feito, e Hórus, novamente, venceu o seu tio.

As coisas chegaram a um ponto crítico, e os deuses não estavam mais felizes em assistir os embates entre Hórus e Seth. Atum ordenou que Seth fosse levado até ele algemado como um prisioneiro e perguntou por que ele havia evitado ser julgado e por que queria usurpar o cargo de Hórus. Seth, finalmente, cedeu e disse-lhe para convocar Hórus e conceder-lhe o trono de Osíris. Assim, Hórus foi levado diante dos deuses e coroado, e Ísis gritou de alegria. Ptah, então, perguntou o que deveria ser feito com Seth, e Rê-Horakhty – o Senhor Universal – respondeu que o levaria para morar com ele como um

O nome secreto de Seth

Deixando de lado suas diferenças, Hórus e Seth foram velejar juntos na barca dourada de Hórus. Enquanto os dois deuses estavam sentados desfrutando do passeio de barco, uma criatura sem nome rastejou pelo convés em direção a Seth e o mordeu, fazendo-o adoecer. Assim como sua mãe durante o incidente com o nome secreto de Rê, Hórus pediu que Seth revelasse seu nome verdadeiro, a fim de que pudesse usar a sua magia para curá-lo.

"Faz-se mágica para um homem por meio de seu nome", Hórus assegurou ao seu tio mal. Como Rê antes dele, porém, Seth estava relutante em revelar seu nome secreto tão facilmente, mesmo que isso significasse colocar a própria vida em perigo.

"Eu sou o ontem, eu sou o hoje, eu sou o amanhã que ainda não chegou", disse Seth, mas Hórus sabia mais, dizendo que ele não era nenhuma dessas coisas. Seth pensou um pouco mais, antes de dizer que era a Aljava Cheia de Flechas e a Panela Cheia de Perturbações. Hórus discordou novamente. "Eu sou um homem de mil côvados, cuja reputação não é conhecida, sou uma eira, feita rapidamente como um bronze que uma vaca não varreu. Eu sou um Jarro de Leite, ordenhado do peito de Bastet." Hórus reclamava todas as vezes, até que Seth finalmente cedeu: "Eu sou um Homem de um milhão de côvados, cujo nome é o Dia do Mal. Quanto ao dia do parto ou da concepção, não há parto, e as árvores não dão frutos". Com o verdadeiro nome de Seth finalmente revelado, Hórus foi capaz de curar a mordida, e o deus pôde se levantar.

filho; ele trovejaria no céu e seria temido. Toda a terra e a Enéade se alegraram depois que as questões, finalmente, foram resolvidas.

Relatos alternativos

Outros relatos do confronto entre Hórus e Seth são extremamente breves. Nos *Textos das pirâmides*, Hórus captura Seth e o leva até Osíris. Seth é, então, julgado no tribunal de Geb por sua violência contra Osíris. Aqui, Hórus desempenha apenas um papel mínimo, já que o caso é julgado apenas entre Seth e Osíris. A narrativa é concluída com Osíris sendo premiado com seus reinos na terra e no céu, enquanto Seth é punido, sendo forçado a carregar Osíris. Seth, então, trabalha com Hórus para o benefício do rei morto: eles se unem para matar uma serpente e fornecer escadas para o rei subir ao céu.

Os *Textos das pirâmides* também fazem repetidas referências aos ferimentos sofridos por Hórus e Seth durante suas lutas. Os testículos de Seth – símbolo de sua potência sexual – foram levados de volta a ele por um mensageiro, enquanto os olhos de Hórus – que

Texto das pirâmides da tumba do Rei Pepi I.

O olho de Hórus

A perda de visão de Hórus em um ou em ambos os olhos e a sua cura subsequente são temas em textos religiosos egípcios que representam o restabelecimento da ordem sob o caos. É por isso que, em cenas de templos, o olho de Hórus – chamado *wedjat* –, frequentemente, é oferecido pelo rei aos deuses – ele simboliza o papel do rei em garantir a ordem e o equilíbrio no cosmos.

A maneira como Hórus perde a visão muda dependendo da versão do mito. Um ou ambos os olhos são capturados por Seth e destruídos ou enterrados. Em alguns casos, Hórus recupera a visão sozinho, mas, na maioria das vezes, ele é auxiliado por Ísis, Toth ou Hathor.

O olho de Hórus também é mencionado em encantamentos, predominantemente naqueles associados à cura dos olhos: falam de sua criação (pelas almas de Heliópolis) ou de Toth levando-o para Heliópolis. O olho de Hórus, frequentemente, aparecia em amuletos, pois era uma fonte de proteção para as pessoas: "Ele espalha proteção sobre você, derrota todos os seus inimigos por você, e seus inimigos caíram de fato diante de você... O olho de Hórus surge intacto e brilhando como Rê no horizonte; encobre os poderes de Seth, que o teria possuído..."

Como um deus, os olhos de Hórus também têm conotações celestiais; seu olho direito era a barca do deus do sol à noite e seu olho esquerdo, a barca do dia; ou, às vezes, seu olho direito era o sol e seu olho esquerdo, a lua. Na verdade, o olho estava, particularmente, associado à lua; sua fase de crescimento representava a lenta restauração do olho, até que ele voltasse a ter saúde plena.

representam sua clareza de visão – foram devolvidos da mesma maneira. Até mesmo Toth foi ferido, e seu braço precisou ser restaurado. Em outro encantamento, Seth levara os olhos de Hórus para o lado leste do céu. Os deuses, então, voaram através do Canal Sinuoso (cf. p. 119) em uma das asas de Toth para interceder pelo retorno de Hórus em seu nome. Seth capturou o olho de Hórus e o devorou, mas Hórus o recupera por meio de violência ou por petição. Os *Textos dos caixões* descrevem Osíris espremendo os testículos de Seth para Hórus, e, aparentemente, de acordo com uma fonte posterior, uma audiência legal foi realizada no Grande Palácio de Heliópolis a respeito da tomada dos testículos de Seth por Hórus.

O grande hino a Osíris, do Reino Novo, apresenta Ísis levando Hórus diante do salão de Geb. A Enéade está exultante com sua chegada, dando-lhe as boas-vindas como herdeiro de Osíris, e Hórus é coroado sob as ordens de Geb. O mundo, imediatamente, cai sob seu controle, e Seth é dado a ele, aparentemente para ser executado – o "perturbador sofreu ferimentos, seu destino alcançou o ofensor". O mundo, nesse momento, estava em ordem novamente: "A abundância é estabelecida por suas leis, as estradas estão abertas, os caminhos estão livres, como as duas margens prosperam! O mal fugiu, o crime se foi, a terra está pacificada sob seu senhor".

Da mesma forma, no *Livro da vitória*, sobre Seth, do Período Ptolomaico, Geb preside uma audiência no tribunal, convocada para decidir quem deve ser o rei do Egito. Os crimes de Seth são relatados durante o processo, e Hórus (apoiado por Toth) recebe um veredito a seu favor. Ele recebe os títulos da herança e é coroado rei, enquanto Seth é exilado para a terra dos asiáticos. Outra versão do conto, inscrita na Pedra de Shabaka, agora no Museu Britânico,

A Pedra de Shabaka, esculpida durante a 25ª Dinastia.

novamente apresenta os acontecimentos de uma forma um pouco diferente. Aqui, Geb, atuando como juiz, separa Hórus e Seth e os proíbe de continuar lutando. Ele proclama Seth o rei do Alto Egito e Hórus o rei do Baixo Egito, com a linha divisória estabelecida no local onde Osíris se afogou. Mais tarde, porém, Geb muda de ideia e decide conceder o Egito inteiro a Hórus, já que ele é o filho de Osíris.

A versão de Plutarco sobre o triunfo de Hórus

Assim como Plutarco fornece um relato sobre a morte de Osíris, ele também registra o mito do triunfo de Hórus. Ele conta que Osíris voltou dos mortos para treinar o jovem Hórus para a batalha contra Seth. Osíris perguntou ao filho o que ele pensava ser a mais nobre de todas as coisas, ao que Hórus respondeu: vingar o pai e a mãe de alguém quando eles sofreram o mal. Antes do início do combate, muitos dos apoiadores de Seth desertaram para o lado de Hórus, até mesmo a concubina de Seth, a deusa hipopótamo Taweret, abandonou o parceiro maligno.

Apesar dos números reduzidos do lado de Seth, a batalha durou muitos dias, até que Hórus, finalmente, prevaleceu. Capturado, Seth foi acorrentado e, então, levado ao jovem rei, mas Ísis se recusou a executá-lo, enfurecendo Hórus, que, durante o acesso de raiva, removeu a diadema real de Ísis. Toth, sempre uma presença calma, simplesmente o substituiu por um toucado em forma de cabeça de vaca. Seth acusou Hórus de ser ilegítimo, mas Toth defendeu Hórus e provou seu direito ao trono.

◄ SETH RETORNA AO PODER ►

Depois que Hórus ascendeu ao trono, Seth tentou recuperar o poder, assumindo o controle do Delta e realizando muitos sacrilégios. Durante esse tempo, Seth profanou templos, expulsou sacerdotes, roubou equipamentos de culto e emblemas divinos, danificou ou destruiu propriedades

As esposas de Hórus

Hórus, filho de Ísis, é distinto entre os deuses egípcios porque não há nenhuma referência clara de esposa associada a ele. Os mitos, geralmente, apresentam Hórus solteiro, embora os encantamentos, por vezes, lhe atribuam esposas obscuras, como a Senhora da Serpente, chamada Tabitjet, uma das quais foi picada por uma cobra ou um escorpião. Mais tarde, Hórus de Behdet (Templo de Edfu) tornou-se marido de Hathor de Dendera; seus cultos foram conectados, e procissões eram feitas entre os dois templos. No Templo de Edfu, Maat é considerada filha de Hórus.

do templo, arrancou e cortou árvores sagradas, capturou e comeu animais sagrados e peixes, blasfemou contra divindades, interrompeu festivais, matou adoradores e roubou oferendas. Rê não sabia desses atos, até que Ísis gritou ao céu afirmando que Seth havia retornado sem seu conhecimento. Por fim, Hórus foi, novamente, vitorioso, e Seth foi exilado.

◀ O FIM DO REINADO DOS DEUSES ▶

Com sua derrota final de Seth, Hórus governou como rei do Egito por 300 anos. Vingava-se de quem quer que apoiasse Seth, destruindo nomes e cidades para que "o sangue de Seth caísse sobre eles". As estátuas de Seth foram destruídas, e seu nome, removido de onde fosse encontrado. "Su lamenta, Wenet está em estado de luto", nos dizem, "o gemido permeia Sepermeru, os Oásis do Sul e o lamento do Oásis Baharija, o mal circula dentro deles. Heseb grita, pois seu senhor não está mais com ele, Wadju é um lugar vazio e Ombos está em ruínas. Suas mansões foram demolidas, nenhum de seus habitantes existe, seu mestre não existe mais".

Depois de Hórus, o trono passou para Toth, que governou por 7.726 anos. Em seguida, a realeza passou para Maat e, depois, para cada um dos onze semideuses, que, juntos, governaram por um total de 7.714 anos. Esses semideuses tinham nomes incomuns, como "[...] O que não tem sede", "Torrão da costa", "Possuidor de nobres mulheres" e "Protetor de mulheres [nobres]". Os reis espirituais (*akhu*), então, governaram, agrupados em nove categorias e conectados com locais específicos, como Hieracômpolis, Buto e Heliópolis. Estes foram sucedidos pelos seguidores de Hórus e, depois, por reis humanos. Os reis pré-dinásticos sem nome do Alto e do Baixo Egito foram reunidos como as almas de Nekhen e Pe, consideradas *baw* ("almas") das cidades egípcias de Buto (Pe) e Nekhen (Hieracômpolis), respectivamente. Os *baw* de Pe foram representados com cabeças de falcão; os de Nekhen, com cabeças de chacal. Essas eram divindades poderosas que ajudavam o rei na vida e na morte.

◄ O FARAÓ ►

E, assim, chegamos à época dos faraós históricos. Em vida, cada rei era Hórus, sentado em seu trono e com o legado de Geb. Ele também era filho de Rê, agindo como representante do deus do sol e encarregado de garantir a estabilidade do mundo, assim como Rê havia feito pessoalmente no início dos tempos. O rei poderia ter sido o produto da união de uma mãe humana e um deus, mas ele não entrava nas fileiras do mundo divino até ser coroado. Durante essa grande cerimônia, o *ka* real – o espírito da realeza – entrava no corpo do homem mortal e o transformava em um faraó. Por meio dos rituais de coroação, o homem renascia, e seu corpo físico era impregnado pelo poder divino.

Esse poder, no entanto, era limitado pelo receptáculo humano, que continuava envelhecendo e exibindo as mesmas fraquezas de qualquer outro ser humano. Quando um rei morria, a realeza continuava habitando um novo corpo a cada morte. Dessa forma, o

O Rei Ramsés I com as almas de Pe (à esquerda) e Nekhen (à direita).

rei não era exatamente um deus nem mesmo um humano, em vez disso, ele tinha sua própria esfera de existência, abaixo dos verdadeiros deuses, mas acima da humanidade. Seu destino era atuar como intermediário entre os dois, agradando aos deuses para o benefício da humanidade, na esperança de assegurar as bênçãos divinas. O rei agradava aos deuses garantindo que *maat* existisse em todo o Egito, fazendo oferendas aos deuses, defendendo e expandindo as fronteiras do Egito e matando todos os inimigos.

Apesar de suas óbvias fragilidades humanas e de seu caráter pessoal, o rei existia como uma figura mitológica. Para a posteridade, suas decisões eram perspicazes e perfeitas, sua aparência, sempre jovem e forte. Sozinho, ele cavalgava na frente do exército, dizimando os oponentes, protegendo as próprias tropas de todo o perigo. Seus atos eram sempre bem-sucedidos, seu comportamento, piedoso e justo. Esse faraó ideal e mitológico era grandioso em cada parede dos templos, ferindo os inimigos do Egito ou fazendo oferendas aos deuses. Suas realizações perfeitas eram inscritas nas paredes dos túmulos dos nobres e estelas reais. Embora, para a história, o rei como indivíduo falível tenha sido sufocado pela ideologia, o faraó mítico estava sempre presente e quase imutável, um símbolo reconfortante de ordem em um mundo imprevisível.

PARTE II

O mundo dos vivos (ou explicando o mundo à nossa volta)

◂ 5 ▸

O AMBIENTE MÍTICO

O mundo dos deuses e sua mitologia não se encerrou com a transferência da coroa para os governantes humanos: as divindades continuaram se manifestando e supervisionavam as forças da natureza, de modo que uma mitologia ativa permeou todos os aspectos da vida diária. Os mitos cresceram em torno dos assentamentos e a partir das características naturais (cf. p. 130-134), muitas vezes incorporando "grandes deuses", como Osíris, Hórus ou Anúbis, ou centrando-se nos chamados deuses "menores", divindades que eram predominantemente locais. Havia uma rica mitologia de origem local, que fornecia a história dos deuses adorados no templo da região e uma identidade e um caráter para a cidade e o nomo.

◂ AS RESPONSABILIDADES DOS DEUSES E AS SUAS LIMITAÇÕES ▸

Assim como as pessoas, os deuses tinham papéis e responsabilidades, com trabalhos no cosmos que só eles poderiam realizar, mas que também tinham suas limitações. Os deuses do Antigo Egito não eram oniscientes nem onipotentes, mas podiam se manifestar em diferentes formas simultaneamente, o que lhes permitia permanecer no céu ou no reino da vida após a morte, o Duat, enquanto enviavam seus *baw* – suas "almas" ou "personalidades" – para aparecer na terra. Por meio do *ba* ou dos *baw* de um deus era possível sentir sua força, mas a divindade propriamente dita sempre permanecia distante. No entanto, independentemente da forma que assumissem, havia lugares que nem mesmo os deuses podiam alcançar. No geral, por exemplo, os deuses não podiam entrar no Nun, sua autoridade terminava nos limites do mundo criado. Mesmo em partes do Duat, em áreas fora do alcance dos raios do sol, eles não tinham energia. Além disso, a maioria dos deuses do Egito eram limitados pela sua cidade, área ou

Uma concepção inicial do Período Ptolomaico do mundo egípcio. O círculo interno é o Egito, seus nomos escritos em um anel ao redor dele. Na parte superior do círculo externo está a caverna de onde se originam as águas do Nilo. As deusas do Leste (à esquerda) e do Oeste (à direita), respectivamente, sustentam o barco do deus do sol ao nascer e ao pôr do sol.

região associada. Quanto mais um egípcio viajasse para fora de sua cidade natal, o deus da sua cidade tinha menos condições de ajudá-lo. Portanto, embora uma divindade pudesse estar em outro lugar, talvez passando algum tempo no céu ou no Duat, ele ou ela só poderia ter autoridade sobre um espaço geográfico fixo na terra. Por esse motivo, um viajante orava ao deus da região em que estava e, se não soubesse que nome usar, simplesmente rezava para o *netjer*, palavra que traduzimos como "deus", embora signifique qualquer força que tivesse responsabilidade sobre um determinado espaço.

A responsabilidade de um deus era única, com um papel cósmico no mundo criado que nenhuma outra divindade poderia desempenhar. Nut garantia que o céu continuasse existindo. A força de Shu mantinha o céu e o solo separados. Hapy governava a inundação anual. Osíris permitia que uma nova vida surgisse da morte – a regeneração universal. O deus Min garantia a fertilidade. Como o papel de cada deus era único, se um deus desejasse desempenhar a função de outro, os dois tinham que "habitar" um ao outro – um processo denominado "sincretização" pelos egiptólogos e descrito pelos antigos egípcios como se os deuses estivessem "repousando" uns nos outros. Os deuses não eram todo-poderosos e, portanto, precisavam da "força" fornecida pela responsabilidade de outro deus para executar certas funções. Assim, para que o deus Amun pudesse desempenhar um papel de fertilidade, ele e Min – o deus da fertilidade – habitavam um ao outro temporariamente para se tornarem Amun-Min, um novo deus que era ambos ao mesmo tempo. Da mesma forma, Amun, que incorporou o poder invisível e oculto, podia se juntar ao poder visível de Rê para formar o todo-poderoso Amun-Rê, a totalidade do poder visível e invisível, o "rei dos deuses". No meio da noite, o deus do sol moribundo se juntava a Osíris para ser fortalecido pela sua energia regenerativa. Os dois deuses, então, se separavam novamente, permitindo que o deus do sol regenerado continuasse seu caminho para o céu do amanhecer.

Os deuses Rê e Osíris "repousando" um sobre o outro, com as deusas Néftis (à esquerda) e Ísis (à direita).

A deusa Hathor.

A verdadeira aparência de um Deus

Os vivos não sabiam como um deus realmente era: as representações artísticas apenas ilustravam aspectos de seus personagens. Hathor, por exemplo, pode ser mostrada como uma vaca quando seu aspecto de cuidadora é enfatizado. Se houvesse a intenção de reforçar seu lado raivoso e selvagem, ela poderia ser descrita como uma leoa. Ninguém esperava que a verdadeira aparência da divindade estivesse nessa forma. Embora a aparência de um deus permanecesse desconhecida, sua chegada podia ser sentida por meio de grandes distúrbios naturais, como terremotos e tremores no céu. O "Hino canibal" relata: "O céu está nublado, as estrelas estão perturbadas, os arcos tremem, os ossos do deus da terra tremem". O aparecimento de um deus também era precedido pelo perfume do incenso, por um brilho ofuscante ou por uma presença sentida no coração. A impressão é de uma grande força invisível e sem forma, incognoscível e indescritível em sua totalidade. Essa força, no entanto, poderia interagir de uma maneira física e tangível por meio de intermediários que o deus poderia habitar, na maioria das vezes a estátua de culto na parte de trás de um templo ou santuário.

◄ O MUNDO CRIADO ►

Em seu nível mais simples, o mundo criado – o mundo em que os egípcios viviam –, organizado por Rê no momento de sua partida da terra, foi dividido em céu e terra, mas também incluiu um terceiro lugar, chamado Duat (cf. p. 123-124). Além do mundo criado estava Nun, a extensão infinita de água escura e imóvel que cercava a terra por todos os lados. Nessa bolha da criação, os deuses, o rei, os mortos abençoados[14] e a humanidade, todos existiam como parte da mesma comunidade.

Cada aspecto da criação tinha uma explicação divina. O vento era uma manifestação de Shu, por exemplo, embora também englobasse toda a atmosfera: "A extensão do céu é para meus passos, e a largura da terra é para meus alicerces". A abóbada celeste era a força da deusa Nut, seu consorte Geb era a terra. Juntas, as manifestações físicas dos deuses egípcios – suas forças como princípios da natureza – eram responsáveis por todos os fenômenos naturais, embora eles próprios – suas verdadeiras formas – pudessem estar em outro lugar. Por meio da personificação, as forças intangíveis dos deuses tomavam forma, permitindo que os egípcios interagissem com elas. Ao mesmo tempo, as forças da natureza, às vezes benevolentes, às vezes destrutivas, eram colocadas em um sistema ordenado e designadas a um controlador específico, que poderia ser elogiado, amaldiçoado ou implorado por ajuda, dependendo da situação. Se sua casa explodisse ou fosse inundada, você tinha alguém para culpar. Se uma tempestade estivesse chegando, você sabia a quem implorar para evitá-la.

◄ O CÉU DIURNO E O SOL ►

Um antigo egípcio poderia pisar na terra seca (uma manifestação do deus Geb) durante o calor do dia (o poder vivificante de Rê), ter a sensação de um vento leve em seu rosto (a pele do deus Shu) e talvez vislumbrar uma nuvem solitária (os ossos de Shu) flutuando a distância. E, contanto que não houvesse uma das raras tempestades (o efluxo de Shu), ele poderia parar por um momento e desfrutar a vasta extensão do céu azul, perfeito à sua frente. Mas como ele

14. A expressão egípcia é *maA Hrw*, literalmente "justo de voz" ou "justificado". Essa era uma expressão que os egípcios utilizavam para designar os mortos abençoados, que haviam passado no julgamento da alma [N.T.].

entendeu essa imponência natural do céu e a bola amarela que o atravessa diariamente – sem falar em suas contrapartes noturnas?

O hieróglifo para "céu" (*pet*) nos fornece o primeiro passo para entender a mentalidade antiga. Ele exibe uma superfície plana, em vez de uma cúpula, com suas bordas voltadas para baixo, em contato com a terra. Os suportes da abóbada celeste também podiam ser representados como colunas ou cetros, que o próprio faraó tinha a responsabilidade de proteger. O deus Shu, no entanto, como o principal suporte do céu desde a criação, sustentava a deusa Nut, a abóbada celeste, auxiliado pelos oito deuses *heh*, dois para cada um de seus membros. (Aparentemente, Shu criou esses deuses porque estava cansado de segurar o céu sozinho.)

Era responsabilidade divina de Nut garantir que o céu permanecesse no lugar, já que era a sua força que barrava as águas de Nun. É por isso que o céu aparece azul – são as águas inertes de Nun, eternamente presentes acima de toda a humanidade e que são repelidas pela força de Nut. Essa ameaça de um dilúvio vindo de cima era sempre presente e um lembrete diário de que a desordem está por toda parte. Na verdade, Nut agia mais como um campo de força invisível do que como uma parede transparente; se você fosse capaz de voar para cima e atingir o limite do céu, você poderia passar sua mão por essa força e tocar as águas além dela, como mergulhar seus dedos em um vasto oceano revolto. Você não se chocava simplesmente contra uma barreira invisível, ela era penetrável. Por essa razão, o céu pode ser navegado, e, como em qualquer corpo de água, isso requer um barco. Era assim que o deus do sol – a força responsável por garantir o circuito do disco solar a cada dia – viajava do horizonte leste ao horizonte oeste: ele navegava em sua barca diurna, chamada *mandjet*.

O sol era a manifestação mais visível e poderosa dos criadores; sua luz trazia calor e crescimento, e permitia que a vida prosperasse enquanto varria as trevas. Sua marcha lenta no horizonte todas as manhãs era um sinal de que tudo estava bem no cosmos. "O fino ouro não combina com o seu esplendor", relata um hino solar, "por meio de você, todos os olhos veem, eles não conseguem mirar quando sua majestade se põe. Quando você se levanta ao amanhecer, seu brilho abre os olhos dos rebanhos." Conforme contado nos mitos da criação, essa bola de fogo vagarosa era o olho ardente do deus do sol, cuidando de seu mundo enquanto as horas passavam até a escuridão cair. Embora muitas vezes fosse um disco solar ou um homem com cabeça de falcão em um barco, o deus do sol também tinha outras manifestações. De manhã, ele era Khepri, representado como um besouro de esterco por causa do hábito do inseto de empurrar bolas de esterco pelo solo, assim como ele rolava o disco solar em direção ao céu. Ao meio-dia, mais forte, ele se tornava Rê. Nesse momento, quando o sol está alto e parece parado no céu (a palavra egípcia para meio-dia era *ahaw*, também significando "paralisação"[15]), Ísis e Seth lutavam contra a cobra do caos Apófis para proteger Rê; eles sempre eram vitoriosos, assim a barca solar poderia continuar seu caminho. À noite, o deus do sol se tornava Atum, o mais antigo dos deuses, refletindo a idade avançada do sol no final do dia. Quando o sol assumia essa forma, era preciso que seu barco fosse arrastado por chacais até o seu lugar no horizonte na montanha ocidental.

Seth atacando a serpente do caos, Apófis, com um arpão na proa da barca solar.

15. Aqui, no sentido de "imobilização" [N.T.].

Aton, mostrado como o disco solar, irradiando seus raios sobre Akhenaton e sua família. Cada um dos raios termina com uma mão.

O Aton

Aton é o disco solar físico e visível, que irradia calor e luz. É conhecido desde o Reino Médio, mas só se tornou importante como um deus por direito próprio durante a 18ª Dinastia, culminando com o reinado de Akhenaton (que significa "Aquele que é eficiente para Aton"), quando, por um curto período, Aton tornou-se a única divindade do estado. Para Akhenaton, Aton era um deus transcendente, ao contrário dos deuses tradicionais, limitados pelo tempo e pelo espaço. Além disso, Aton só poderia ser entendido exclusivamente pelo rei: o resto da população do Egito, incluindo os sacerdotes, só poderiam ter acesso a ele por meio de Akhenaton. Essa abordagem herética da religião não foi tolerada para além do reinado de Akhenaton, e, sob seu filho Tutancâmon, os cultos tradicionais foram restabelecidos.

◄ O CÉU NOTURNO ►

Ao fim de cada dia, a deusa Nut engolia o deus do sol, mergulhando a terra na escuridão. Nos últimos momentos do sol, quando seus raios desaparecem e sua orbe mergulha abaixo do horizonte, o céu fica vermelho, representando um momento de perigo. Depois, quando o sol desaparece, tudo fica escuro. As estrelas cintilam, a Via Láctea brilha, e a lua e os planetas traçam seu curso na escuridão. Um novo mundo torna-se visível.

Assim como a terra apresentava partes cobertas de água e terra firme, o céu noturno apresentava uma paisagem semelhante. Os egípcios imaginaram a rota que o sol, a lua e os planetas seguiam através do céu como um "Canal Sinuoso", comparando-o a um rio; essa faixa estreita é, hoje, conhecida como eclíptica. Os meandros dos corpos celestes permaneciam consistentemente dentro dessa faixa ao longo do ano, com seus extremos a Leste e a Oeste marcando as "margens". O Canal Sinuoso dividia o céu noturno em dois: o Campo de Oferendas, ao norte; e o Campo de Juncos, ao sul. Ao Norte, também estavam as "estrelas imperecíveis", enquanto, no Sul, estavam as "estrelas incansáveis" – estrelas sempre presentes, que nunca se puseram abaixo do horizonte. Alguns consideravam as estrelas como decorações no corpo da deusa Nut, cuja forma era observada na Via Láctea, sua cabeça com as estrelas perto da constelação de Gêmeos e suas pernas uma divisão no padrão estelar em Cygnus[16]. Outros viram as estrelas como um padrão decorativo no corpo da vaca celeste Mehet-Weret, "O grande dilúvio", cujo corpo se acreditava ser o Canal Sinuoso. O *Livro de Nut* (uma coleção de

O Zodíaco de Dendera, do Período Ptolomaico Tardio, mostra os 12 signos do zodíaco e os 36 decanatos; seu conteúdo é altamente influenciado pelo pensamento grego e mesopotâmico.

16. Constelação do hemisfério norte que lembra a forma de cisne [N.T.].

Representações de constelações na tumba de Seti I.

textos sagrados do Novo Reino acompanhados por uma imagem da deusa) descreve as estrelas viajando pelo céu ao longo da noite, assim como o sol durante o dia, para serem engolidas por Nut no Ocidente. Diz-se que esse ato violento de consumo irritava Geb, que considerava as estrelas seus filhos. Felizmente, antes que Geb explodisse de raiva, Shu o tranquilizou: "Não brigue com ela porque ela come seus filhos, eles viverão, sairão de seus quartos traseiros no Leste a cada dia, assim como ela carrega [Rê]".

Os egípcios dividiram o céu noturno em 36 decanatos, ou grupos de estrelas, que podem ser retratados no teto de tumbas e templos; cada decanato se erguia acima do horizonte pouco antes do amanhecer por um período de dez dias a cada ano. Certas constelações tornaram-se associadas a deuses particulares. O deus Sah era a constelação de Órion e marido da deusa Sopdet (a estrela Sirius), cujo aparecimento no horizonte oriental ao amanhecer, após cerca de 70 dias de ausência, anunciava a inundação anual e o novo ano agrícola. Esse evento era chamado de "o surgimento de Sopdet" (*peret sepdet*). A conexão de Sopdet com a inundação e, portanto, com a renovação da fertilidade agrícola pode explicar por que ela era considerada filha de Osíris. A forma da Ursa Maior, chamada de Mesketiu pelos egípcios, era vista como a perna traseira de um boi e associada a Hathor. Outras constelações foram "Macaco", "postes de amarração", "Gigante" e "Hipopótamo fêmea", embora ainda não tenham sido identificados no céu.

Cinco planetas, conhecidos como "estrelas que não conhecem descanso", foram identificados pelos egípcios; cada um foi associado a um deus navegando em sua barca celestial. Mercúrio era Sebegu, um deus ligado a Seth; Vênus era "aquele que cruza" ou "deus da manhã"; Marte era "Hórus do horizonte" ou "Hórus o Vermelho"; Júpiter era "Hórus que limita as duas terras"; e Saturno era "Hórus, touro do céu".

◄ A LUA ►

Depois do pôr do sol, a lua assumia o comando como seu substituto noturno, agindo como representante do deus do sol, cujo dever, geralmente, era atribuído ao deus Toth. Como o sol, a lua cruzava o céu a bordo de uma barca, porém lançava uma luz mais fraca sobre a terra. Como isso poderia ser explicado? E por que a lua mudava de forma? Dos mitos que cercavam a lua, o mais comum a associava ao olho esquerdo e mais fraco de Hórus, ao contrário de seu olho direito forte, o sol. O olho esquerdo de Hórus havia sido atingido por Seth, que disse tê-lo rasgado em seis pedaços, mas depois foi reparado por Toth, que o restaurou com os dedos ou cuspindo nele. Esse ato de renovação era repetido a cada mês lunar, à medida que a lua ia crescendo lentamente até chegar à sua forma cheia. Por essa razão, a lua também foi chamada de "aquela que repete a sua forma" e "o velho que se torna uma criança". A lua também foi associada a Osíris, uma vez que os egípcios viram a reconstituição de seu corpo desmembrado – cortado em catorze partes nessa variante do mito – na restauração noturna pela forma da lua cheia. Isso foi

Anúbis se inclina sobre o disco lunar em uma postura semelhante a cenas da mumificação de Osíris.

considerado um feito de renascimento: uma estela do reinado de Ramsés IV saúda Osíris, dizendo "você é a lua no céu; você se rejuvenesce de acordo com o seu desejo e envelhece quando deseja". Cenas funerárias mostram Anúbis inclinado sobre o disco lunar no ato da mumificação, do mesmo modo como ele se inclina sobre o falecido. Além disso, por causa da associação da lua com Osíris, o plantio durante a lua cheia era considerado o mais bem executado. Em sua forma crescente, a forma da lua assemelhava-se aos chifres de um touro, um animal associado à fertilidade e ao poder.

Vários deuses estão ligados à lua; além de Toth, os mais comuns são Khonsu e Iah. A importância do deus Iah foi posteriormente absorvida por Khonsu, que é mais conhecido como o filho de Amun e Mut, completando sua tríade familiar (cf. quadro da p. 24). Retratado em grande parte da história egípcia como uma criança usando o "*sidelock* da juventude" – também conhecido como "trança lateral" – com um crescente lunar e uma lua cheia no topo de sua cabeça, no Reino Antigo (quando os *Textos das pirâmides* foram compostos), Khonsu era apresentado como uma divindade cruel, que ajudou o rei a absorver a força de outros deuses ao capturá-los, auxiliando-o a devorar seus corpos. Como uma divindade cósmica, Khonsu também poderia ser mostrado como um homem com cabeça de falcão. Às vezes, o deus lunar em questão era representado no centro da lua cheia ou também como olho *wedjat* – o olho restaurado de Hórus. Cada um dos quinze dias que antecederam a lua cheia era presidido por um deus diferente (Toth era o primeiro), que em cada dia realizava a tarefa de "preenchê-la". A lua então minguava por quinze dias, conforme cada um desses deuses, um a um, deixava o "olho" lunar.

◄ O DUAT ►

A jornada do sol durante as horas noturnas era um tema de grande interesse para os egípcios. Para onde ia? Ele aumentaria novamente? Embora as tradições variassem nos detalhes específicos sobre as façanhas do sol durante a noite, os temas abrangentes permaneceram consistentes: depois de passar abaixo do horizonte ocidental, o sol viajava por outra parte do mundo criado; este era o Duat, um local perigoso, cheio de demônios e mortos, que tentavam ajudar ou impedir o sol em seu caminho para renascer pela manhã.

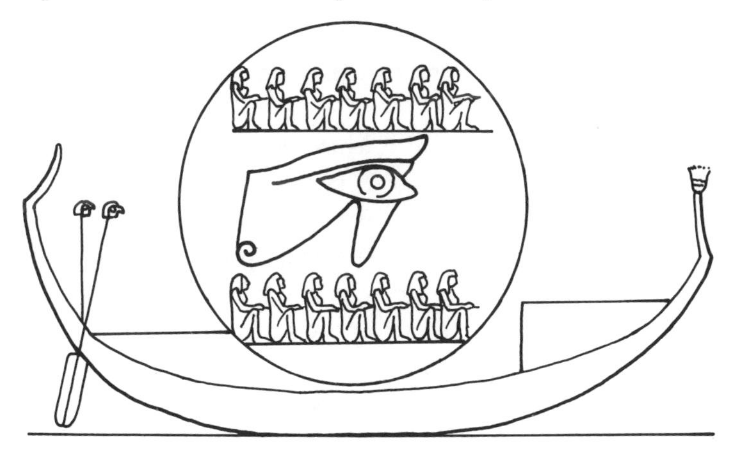

Os catorze deuses da lua minguante (sem incluir Toth).

A localização do Duat nunca é bem definida, embora seja descrito como qualquer lugar que não seja o céu ou a terra. De acordo com um costume, o sol passou a noite dentro do corpo de Nut, gestando em seu ventre, pronto para renascer pela manhã, rejuvenescido. Aqui e em outras partes das fontes textuais, o Duat está localizado no céu, de alguma forma "dentro" do corpo de Nut ou dentro de algum túnel invisível. Em outros casos, é claro que os egípcios consideravam o Duat subterrâneo. Em um mito, os deuses gritam para baixo para chamar a atenção de Osíris. Também se acreditava que as cobras, por viverem rastejando no solo, tinham uma conexão especial com o Duat. Nos ritos de oferendas, os líquidos usados – como água, vinho e sangue – eram drenados para o solo para alcançar os mortos e os deuses do Duat. Qualquer que seja sua localização, o Duat certamente fazia parte do mundo criado, e, por esse motivo, "Outro mundo" e "Submundo" são traduções inadequadas, pois sugerem a remoção do mundo ao nosso redor, o que não era o caso. Na verdade, "Mundo Distante" pode ser a tradução mais adequada[17]. Como uma terra distante, o Duat estava presente no mundo criado, mas acessível apenas àqueles que atendiam a um de dois critérios: estar morto ou ser uma divindade.

◄ A JORNADA NOTURNA DO SOL ►

Embora os mortos passassem o tempo enfrentando seus próprios desafios no Duat (cf. cap. 7), o rei falecido viajava com o deus do sol para o Duat todas as noites e participava de sua renovação. Essa renovação, no entanto, nunca era garantida, pois, todas as noites, o deus do sol e seus seguidores travavam uma grande batalha contra os proponentes da desordem e a serpente do caos Apófis. Esses eventos ocorriam ao longo das doze horas da noite, com a passagem de uma hora para a outra bloqueada por altos portões, cada um protegido por

17. Em inglês, o autor utiliza o termo *farworld* [N.T.].

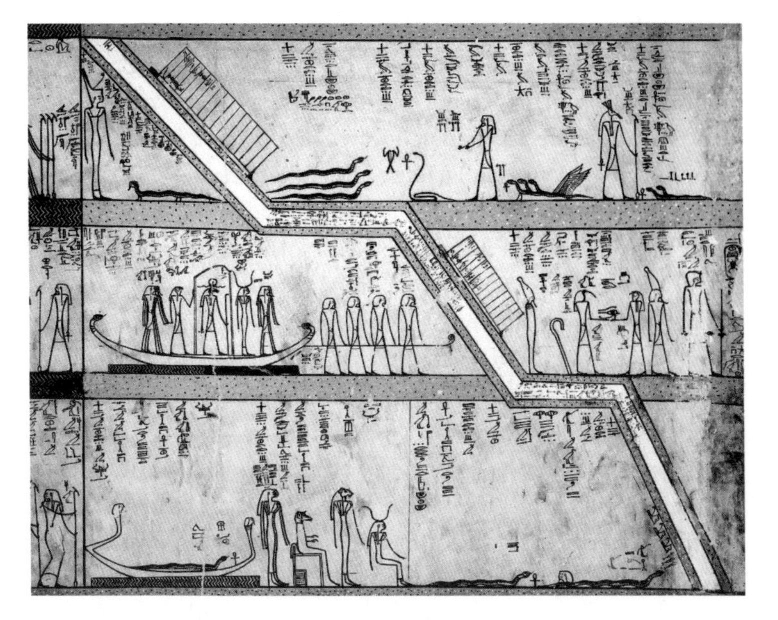

Na quarta hora do *Amduat*, o deserto de Rostau é atravessado por um caminho em zigue-zague.

seu próprio guardião, em geral, na forma de uma cobra assustadora.

Então, a cada dia, ao ficar fraco, velho e cansado, o deus do sol descia abaixo do horizonte ocidental em direção a um grande portal chamado "O Engolidor de Todos" – a entrada para o Duat. Lá, era recebido por seguidores jubilosos e por babuínos. O deus e sua comitiva, muitos em suas próprias embarcações, navegaram ao longo de uma extensão aquosa chamada Wernes[18], um lugar de abundância, onde as pessoas usavam espigas no cabelo. Aqueles que se aproximaram da flotilha solar recebiam terras e provisões do deus do sol.

Depois que os deuses navegavam nas Águas de Osíris, na quarta hora da noite, a paisagem do Duat se transformava; a flotilha solar passava de uma terra de abundância e água para a caverna seca do

18. O termo egípcio é *wr-ns* [N.T.].

Deserto de Rostau na "Terra de Sokar, que está em sua areia". O caminho por meio dessa paisagem queimada ziguezagueava e era interrompido por fogo e por portões. Cobras aladas com pernas atravessavam as areias, e o barco solar era forçado a se transformar em uma cobra, a fim de facilitar seu deslocamento (mas, mesmo assim, os seguidores de Rê ainda eram forçados a arrastá-lo pelas areias). Na quinta hora da noite, o barco solar entrava no Reino dos Mortos, onde Ísis e Néftis protegiam o túmulo de Osíris e o Lago de Fogo queimava os inimigos da ordem enquanto purificava aqueles que simplesmente viveram suas vidas. As águas de Nun corriam por esse terreno carregando aqueles que se afogaram e nunca receberam um enterro adequado. Na sexta hora da noite, o barco solar aproximava-se de um poço repleto das águas de Nun. O cadáver do deus do sol, na forma de um besouro, jazia na água, onde se unia a Osíris. Este era o momento-chave da noite. Os poderes regenerativos de Osíris, agora, energizavam o deus do sol enfraquecido, fornecendo-lhe a força necessária para começar a sua jornada ao horizonte oriental. Os reis do Egito faziam fila para assistir enquanto Toth curava o olho solar.

Na sétima hora da noite, Rê, protegido pela cobra Mehen, derrotava seus inimigos. Seth e Ísis atacavam a serpente do caos, Apófis, enquanto os outros, ajudados pela deusa-escorpião Serqet, amarravam seu corpo. Tendo anulado os proponentes da desordem, os seguidores do sol puniam seus inimigos, e um demônio com cabeça de cobra amarrava e decapitava os inimigos de Osíris. A oitava hora então começava, e o deus do sol, vitorioso, providenciava roupas para os mortos (que lhe eram gratos). Da mesma forma, na nona hora, o sol novamente fornecia roupas para os mortos, enquanto outros traziam grãos para alimentá-los. Também aqui os inimigos de Osíris eram punidos em um tribunal.

Com deusas iluminando o caminho e serpentes sobre suas cabeças, na décima hora, o barco solar chegava "[Àquele] com águas profundas e margens altas". Aqueles que haviam se afogado habita-

Uma estátua do deus Ptah-Sokar-Osíris

Sokar

Originalmente um deus da necrópole de menfita, com o tempo, Sokar tornou-se fortemente conectado com a esfera funerária e com o Duat, presidindo seu domínio no deserto na quarta e na quinta hora da noite, conforme descrito no *Amduat* (cf. a seguir). Sokar pode ser descrito como um homem com cabeça de falcão, utilizando a Coroa Branca do Alto Egito ou a coroa *atef*, de Osíris. Ocasionalmente, ele é mostrado com um rosto humano e usando uma peruca[19]. Esteja de pé ou sentado, seu corpo normalmente está envolto em uma capa, e ele segura um cetro e um chicote. Sokar também pode ser mostrado totalmente como um falcão vestindo a Coroa Dupla do Alto e do Baixo Egito, e foi intimamente identificado com a barca *henu*, um barco ritual ricamente ornamentado, onde pousava o falcão Sokar.

Os *Textos das pirâmides* referem-se a Sokar como o criador dos "ossos reais", que recebeu o rei falecido na vida após a morte e o enviou para o céu a bordo de sua barca *henu*, auxiliado por Hórus. Ele também desempenhou um papel fundamental na ressurreição dos mortos que não pertenciam à realeza. Além disso, Sokar era, originalmente, o patrono de artesãos, especialmente os metalúrgicos.

Sokar, com frequência, aparece em uma forma sincretizada como Ptah-Sokar-Osíris, que representa a criação, a metamorfose e o renascimento, combinando o poder dominante e a responsabilidade de cada deus. Seus agrupamentos familiares nunca são fixos, de modo que, embora ele tenha uma companheira chamada Sokaret e um filho chamado Reswedja, Néftis e Seshat, às vezes, podem ser mencionadas como suas consortes. O agrupamento divino de Sokar também é fluido: em Mênfis, ele é associado com uma versão menfita do deus Khnum, Herremenwyfy e Shesmu, enquanto, em sua forma solar, ele está associado a Nefertum e às cinco "filhas divinas de Rê".

19. Os egípcios utilizavam diversos tipos de perucas, era um marcador de *status* social e, no caso das mulheres, um elemento importante para a sedução, com muitas referências encontradas nos poemas amorosos do Reino Novo. A peruca referida no original em inglês é *lappet wig*, que consiste numa peruca que tem a parte de trás mais curta e é mais comprida nas laterais, cobrindo as orelhas. Ela é uma referência aos cabelos encaracolados dos núbios, por isso é chamada por alguns egiptólogos de peruca núbia. É utilizada pelos faraós e, em geral, aparece em contextos de batalha. Uma referência comum é a da representação do Faraó Tutancâmon em seu trono de ouro, hoje no Museu do Cairo [N.T.].

A caverna de Sokar na quinta hora do Amduat.

vam uma piscina retangular de água, pois foram salvos por Hórus, que lhes deu uma vida após a morte adequada. Na décima primeira hora, os deuses se preparavam para o renascimento do deus do sol no horizonte oriental e os inimigos de Rê eram aniquilados, alguns imersos em poços de fogo. Ísis e Néftis, na forma de serpentes, levavam coroas reais para a cidade de Sais e uma cobra, chamada de "a que envolve o mundo", rejuvenescia o sol. Os deuses, então, entravam no corpo da cobra que circundava o mundo, marcando o início da décima segunda e última hora da noite. Figuras idosas arrastavam o barco solar pelo corpo do animal, emergindo de sua boca como crianças recém-nascidas. O amanhecer chegara, e Khepri, o besouro solar, rejuvenescido e jovem, voava em direção ao céu, erguido pelo deus Shu, que fechava os portões do Duat atrás dele. O sol nascia sobre o leão gêmeo Ruty, e um novo dia se iniciava.

A descrição anterior é baseada no *Amduat*, "[O livro] do que está no Duat", um texto sobre o pós-morte copiado nas paredes dos túmulos reais do Reino Novo. Com o passar do tempo, no entanto, os túmulos reais foram decorados com "livros" adicionais da vida após a morte, cada um apresentando as provações e as tribulações do deus do sol dentro do Duat de uma maneira ligeiramente distinta. O *Livro dos portões*, por exemplo, enfatiza os portais que a barca solar teve que passar em seu caminho até o amanhecer e mostra o *ba* do deus do sol com cabeça de carneiro, cercado pelas espirais protetoras

Os Textos das pirâmides

As crenças da realeza sobre o pós-morte evoluíram ao longo dos três milênios da história egípcia antiga, com a mais antiga descrição conhecida do destino póstumo do rei inscrita nas paredes da Pirâmide de Unas da 5ª Dinastia, em Saqara. Essas inscrições, hoje chamadas de *Textos das pirâmides*, foram inscritas nas pirâmides dos reis subsequentes do Reino Antigo e de algumas rainhas. As inscrições serviam para auxiliar o rei a subir ao céu e encontrar os deuses, a fim de que pudesse passar a eternidade acompanhando o deus do sol e existir como uma estrela imperecível.

Ele poderia alcançar o céu de várias maneiras: utilizando rampas, transformando-se em um gafanhoto ou sendo ajudado pelo deus Shu. Para navegar com sucesso, o rei precisava conhecer a geografia da vida após a morte e os perigos que poderia enfrentar. Ele falava com os guardiões do portão e o barqueiro, e tinha que revelar os nomes corretos e mostrar que conhecia as informações certas para poder prosseguir. Os *Textos das pirâmides* incluem muitas referências às disposições, aos movimentos e ao afastamento de inimigos e forças do rei, incluindo cobras e escorpiões. Alguns locais citados eram conhecidos em "livros" tardios sobre a vida após a morte, como o Campo de Juncos e o Campo de Oferendas, mas outros locais também foram adicionais, como o Lago do Chacal e o Canal Sinuoso. Depois de ascender, o faraó morto viajava pelo céu em seu barco, na comitiva do deus do sol.

da cobra Mehen, a bordo de seu barco, com os deuses Hu e Sia ao seu lado. O *Livro dos portões* também inclui uma cena representando a sala de julgamento de Osíris entre a quinta e a sexta hora; aqui, um porco, como símbolo da desordem, está assustado, e inimigos invisíveis jazem sob os pés do deus. Na sexta hora, os assistentes carregam o cadáver do deus do sol, mas o seu corpo é invisível, e o contato com sua carne torna os braços de seus portadores invisíveis também. Na sétima hora, os inimigos de Rê são amarrados a "estacas de Geb" com cabeça de chacal para serem torturados por demônios. Na cena final do *Livro dos portões*, o sol renasce de Nun, em vez de ser criado por Shu. O *Livro das cavernas*, ao contrário de composições anteriores, enfatiza a tortura dos condenados, enquanto o *Livro da terra* se concentra no papel desempenhado pelos deuses Geb, Aker (um deus que guardava os horizontes oriental e ocidental) e Tatenen na ressurreição solar.

◄ A TERRA ►

Os antigos egípcios viam seu país como uma faixa plana de terra agrícola no centro de um mundo em forma de disco; o solo negro fértil desse terreno deu ao país seu nome mais comum: *Kemet*, a "terra negra". O hieróglifo para "terra" reflete isso, mostrando uma faixa plana de terra, muitas vezes com três círculos abaixo dela, ilustrando aglomerados de terra. A riqueza agrícola do Egito levou Osíris a desempenhar um importante papel mitológico na vida diária de seu povo; como um deus que personificava o princípio da regeneração, ele era responsável pelo crescimento das safras a cada ano. A terra como um todo, no entanto, era uma manifestação de Geb, enquanto o deus menfita Tatenen, que simbolizava principalmente o primeiro monte da criação, às vezes podia, por extensão, representar todas as terras férteis emergentes da inundação que recuava, e até mesmo o próprio Egito.

Os egípcios dividiram seu país em partes distintas, o Delta e o Vale do Nilo, que era separado entre o Baixo e o Alto Egito, respectivamente. Essas regiões foram subdivididas em uma série de *sepauwt* (distritos ou províncias) administrativos, mais conhecidos hoje por seu nome grego, nomos. Seu número variou com o tempo: nas fases posteriores da história egípcia havia quarenta e dois nomos, vinte no Baixo Egito e vinte e dois no Alto Egito. Cada nome era identificado por seu próprio emblema e personificado por sua própria deusa, mostrada com o emblema do nome em sua cabeça.

As divindades dentro dos principais templos de cada nomo poderiam ser únicas ou formas locais dos deuses principais, como Hórus. Assim, por exemplo, no Alto Egito, Toth era o deus principal do 15º Nomo, com seu centro em Hermópolis; Anúbis, do 17º Nomo; e

A divisão acentuada entre terras agrícolas verdes e o deserto em amarelo intenso é impressionante.

Nemty, do 18º Nomo. Com o tempo, as mitologias se desenvolveram em torno dessas divindades, seus nomos e seus templos: o *Papiro Jumilhac* registra mitos especiais para o 17º e o 18º Nomos do Alto Egito; uma *naos* de El-Arish detalha mitos do 20º Nomo do Baixo Egito; enquanto o *Papiro Brooklyn 47.218.84* reúne mitos de uma variedade de nomes do Delta, alguns dos quais não são conhecidos por nenhuma outra fonte. Às vezes, esses mitos eram baseados em temas populares, adaptados para o ambiente local. Muitos templos locais, por exemplo, afirmavam ser o lugar original da criação – a primeira terra que surgiu de Nun. A partir dessa ideia, eles adaptaram a concepção geral egípcia da criação em torno de suas próprias divindades particulares.

Os deuses gregos no Egito

Os gregos viram em muitos dos deuses e das deusas do Egito equivalentes de suas próprias divindades. Essas correspondências incluem:

Zeus = Amun
Hefesto = Toth
Dionísio = Osíris
Deméter = Ísis
Tífon = Seth
Apolo = Hórus
Hermes = Toth
Afrodite = Hathor

Por sua vez, essas associações levaram certos centros de culto egípcios a receberem nomes gregos, construídos a partir do nome grego do deus em vez do egípcio: o centro de culto de Toth, a antiga Khmun ("A Cidade dos Oito", nomeada a partir da Ogdôade do universo pré-criado) – moderna el-Ashmunein –, era conhecido como Hermópolis ("Cidade de Hermes") para os gregos. Um centro de culto para Hathor, a antiga Per-Nebet-Tep-ihu ("a casa da Senhora 'A Primeira das Vacas'") – moderna Atfih –, perto do Oásis de Faiyum, tornou-se Afroditópolis.

Os mitos também podem fornecer explicações para os festivais. A versão local do festival de "consagração dos bastões"[20], realizada em Letópolis, no Delta, comemorava uma época em que Hórus e Seth, junto a seus seguidores, lutaram entre si naquele nomo; no mito associado, enquanto lutavam contra seus inimigos – que assumiram a forma de pássaros – e os capturavam em uma rede, Hórus e seus seguidores bateram acidentalmente em Osíris até a morte, pois este estava preso com eles na rede. No festival, os bastões consagrados provavelmente eram usados para bater nos símbolos que representavam os inimigos de Hórus – possivelmente pássaros – que eram presos em redes.

Esses mitos e essas associações não eram imutáveis; por exemplo, no Reino Novo, a deusa Bat do 7º Nomo do Alto Egito foi assimilada

20. Os bastões referem-se a objetos semelhantes a bumerangues utilizados para abater aves, comuns em cenas de caça a aves nas tumbas. O exemplo mais conhecido vem de uma cena pintada na parede da tumba de Nebamun, hoje no Museu Britânico [N.T.].

ao culto de Hathor do 6º Nomo do Alto Egito. Às vezes, as tradições de um mito local cruzavam as fronteiras do nomo. Os *Livros de Osíris*, por exemplo, que registravam os ritos realizados durante seus festivais com as datas, se espalharam do 9º Nomo do Alto Egito, seu ponto de origem, para cidades por todo o país.

Embora todos os nomos tivessem suas próprias divindades e cada templo tenha desenvolvido sua própria mitologia, normalmente baseada em certos "mitos centrais", alguns locais eram mais mitologicamente "carregados" do que outros. Gehesty – provavelmente o local de Komir, perto de Esna, no Alto Egito – é onde, de acordo com os *Textos das pirâmides*, Seth assassinou Osíris. Também é mencionado no *Papiro Jumilhac* como o local onde Ísis defendeu o corpo de Osíris de Seth,

O deus Nemty num mito do 18º Nomo do Alto Egito

Frequentemente descrito como um falcão, Nemty, barqueiro dos deuses e divindade principal do 18º Nomo do Alto Egito, em geral, aparece em textos como o infeliz destinatário de punições cada vez mais desagradáveis. Em "As contendas de Hórus e Seth", já vimos como Ísis o subornou com ouro para levá-la à ilha para a qual Seth e os outros deuses haviam se retirado. Por isso, os deuses removeram seus dedos do pé, e ele declarou o ouro "uma abominação" em sua cidade. Da mesma forma, em outro mito, Nemty foi pago em ouro por Seth para levá-lo através do rio para o *wabet*, a fim de atacar o corpo de Osíris. Dessa vez, a língua de Nemty foi, aparentemente, cortada.

O *Papiro Jumilhac*, uma coleção de mitos desse nomo, apresenta Nemty como se tivesse sido esfolado, aparentemente por remover a cabeça de uma deusa-vaca em Afroditópolis (embora Toth tenha usado sua magia para colocar a cabeça da vaca de volta no corpo). Sua pele e sua carne foram removidas por causa de sua conexão com o leite da mãe, mas seus ossos, associados ao sêmen do pai, foram deixados intocados. Os deuses, então, viajaram, carregando a carne de Nemty com eles. Nemty foi enfaixado para que a pele pudesse ser substituída, mas, felizmente para ele, logo depois, a deusa-vaca Hesat (às vezes citada como a mãe de Anúbis) usou seu leite para regenerar a carne. Esses mitos procuravam explicar por que a estátua de culto de Nemty era feita de prata – os ossos dos deuses – em vez de ouro, como era de costume, já que representava a carne dos deuses.

manifestando-se em várias formas: tornando-se a deusa-leoa Sekhmet, um cachorro com uma faca no lugar do rabo e uma serpente associada a Hathor. Nessa última forma, Ísis foi a uma montanha ao norte do nomo para vigiar os seguidores de Seth. Quando eles desceram a montanha, ela os atacou, envenenando-os. Seu sangue caiu na montanha e se transformou em bagas de zimbro[21]. Outra versão no mesmo papiro fala de Ísis, com Néftis ao seu lado, transformando-se em um *uraeus*, mordendo seus inimigos e atirando-lhes lanças. Gehesty também é onde se diz que os deuses Shu, Osíris, Hórus e Hathor de Gehesty estão enterrados; embora, mais tarde na história egípcia, muitos templos reivindicassem ser o local dos sepultamentos divinos.

◄ O NILO ►

Atravessando o Saara Oriental e correndo do Sul para o Norte, onde se junta ao Mar Mediterrâneo, o Nilo permitiu que a vida florescesse em suas margens. Em grande parte da extensão do Egito, o Nilo é um único rio, mas, na extremidade do Cairo moderno e da antiga Mênfis, ele se divide em muitos canais, formando o grande pântano do Delta. Hoje, existem apenas dois ramos, mas, nos tempos antigos, havia cinco. Essa grande divisão entre o Vale e o Delta, criada pelo Nilo, alimentou a obsessão egípcia pelo dualismo; o país poderia ser referido como "As Duas Terras", cada uma representada por sua própria coroa – a Coroa Vermelha, para o Baixo Egito, e a Coroa Branca, para o Alto Egito. Além disso, as deusas Nekhbet e Wadjet passaram a representar o Alto e o Baixo Egito, respectivamente. Nekhbet, que significa "Ela de Nekheb" (el-Kab moderno), normalmente é retratada como um abutre e costuma usar a Coroa Branca, enquanto Wadjet é retratada como uma cobra utilizando a Coroa Vermelha.

---

21. Um tipo de pinha, produzido por espécies diferentes do gênero *Juniperus*, muito utilizado ainda hoje na culinária do noroeste europeu e da região báltica, além de ser utilizado na produção de gin [N.T.].

O evento mais significativo do ano era a inundação do Nilo, um período que durava cerca de três meses (equivalentes a julho, agosto e setembro para nós). Quando o rio transbordava as suas margens, espalhava um rico aluvião na terra, perfeito para o cultivo de lavouras assim que as águas retrocedessem. Esse evento natural e tão peculiar despertava interesse constante dos egípcios (e também de estrangeiros), que procuravam explicá-lo. Com o tempo, a frequência anual se tornou um símbolo do renascimento cíclico, moldando a psiquê nacional, alimentando a mitologia e reforçando a crença dos egípcios de que eram realmente abençoados pelos deuses. Um sinal de que o rio estava prestes a subir era o aparecimento da estrela Sirius após uma ausência de aproximadamente setenta dias. Outro sinal era o som que emanava de uma caverna sob o santuário da deusa Satet em Elefantina, a fonte do Nilo aceita na época, localizada na tradicional fronteira sul do país: os deuses haviam apaziguado Nun nessa caverna, e até mesmo Rê disse tê-lo visitado no local. Para os egípcios, toda a água que entrava no mundo vinha de Nun, e o Nilo não era diferente – era o "Nilo alto" surgindo como o "Nun fresco". As águas inertes de Nun, inacessíveis e infinitas, envolvendo completamente o mundo, sempre ameaçaram invadir e subjugar a criação. Sempre que um buraco era cavado e um lençol freático era atingido, os egípcios entendiam que se tratava de uma invasão de Nun.

O diadema de Tutancâmon com as deusas Nekhbet, representada como um abutre, e Wadjet, como uma serpente.

Embora o próprio Nilo não tenha sido personificado por um deus, a inundação era tida como a "chegada do [deus] Hapy", e por meio de sua ação divina que a fertilidade era trazida de volta à terra. Quando retratado, Hapy, normalmente, possui pele azul, barriga inchada e traja uma tanga. Um maço de papiro repousa sobre a sua cabeça, acima dos longos cabelos, e ele também é mostrado com seios caídos como um sinal de fertilidade. Frequentemente, o deus carrega uma bandeja cheia de oferendas. Como Nun, acreditava-se que Hapy vivia em uma caverna em Elefantina. No entanto, "ninguém sabe o lugar em que ele está, sua caverna não é mencionada nos livros".

Embora Hapy não tivesse templos que o cultuassem, a população do Egito o adorava com hinos e música. Ele era aquele "que inunda os campos que Rê criou, para alimentar toda aquela sede [...] quando ele inunda, a terra se regozija, cada barriga jubila, cada maxilar ri, cada dente fica à mostra". Ficou claro que todos os alimentos existiam por causa do trabalho de Hapy, e que roupas e livros só podiam ser fabricados porque sua inundação permitia que o linho e o papiro crescessem. Todos os rebanhos engordavam porque Hapy permitia que as plantações crescessem. Na verdade, a generosidade que se seguiu ao aparecimento de Hapy era mais preciosa do que qualquer tesouro: "ninguém bate sua mão com ouro, nenhum homem pode se embriagar com prata, não se pode comer lápis-lazúli". Por outro lado, se Hapy tivesse apenas uma aparência sombria, o caos descia; todos seriam miseráveis, pessoas morreriam e lutas surgiriam por toda a parte.

A inundação do Nilo também foi considerada como as lágrimas de Ísis e o fluido que vazou do cadáver de Osíris, espalhando sua força regenerativa sobre o solo sem vida, revivendo-o e energizando-o. Quando as águas baixavam, ou sempre que os egípcios ofereciam água a Osíris, acreditavam que ela penetrava o cadáver morto e seco do deus, trazendo-o de volta à vida, assim como o espírito-*ka* tinha que retornar ao corpo após a morte para revigorar o falecido.

Ao mesmo tempo que o rio era o doador da vida, ele também era perigoso. Afogar-se era um risco frequente, e crocodilos e hipopótamos habitavam suas profundezas, sempre prontos para agarrar as

O deus com cabeça de crocodilo Sobek com o Rei Amenhotep III.

Sobek

Geralmente descrito como um homem com cabeça de crocodilo, Sobek usava um disco solar com chifres e plumas e é descrito, nos *Textos das pirâmides*, como um filho da deusa Neith. Os templos foram construídos para ele em locais particularmente perigosos ao longo do Nilo, especialmente aqueles onde os crocodilos podiam atacar, como em Kom Ombo, no Alto Egito; e no Faiyum. Como um deus, ele era associado às margens do rio e ao pântano, e, em algumas fontes, o Nilo era mencionado como seu suor. Ele também pescou as mãos de Hórus do Nilo depois que Ísis as cortou (aparentemente, as mãos continuavam escorregando de seus dedos, então ele se tornou a primeira pessoa a inventar uma rede). Não contente em morar apenas no rio, Sobek também era chamado de Senhor de Bakhu, uma montanha mitológica do horizonte, onde vivia em um templo feito de cornalina.

pessoas pelas mandíbulas e arrastá-las para a morte. Por isso, surgiram mitos em torno das criaturas perigosas que viviam nas margens e no rio, que passaram a ser adoradas como deuses, como Sobek.

◀ ALÉM DO VALE DO NILO ▶

Os egípcios consideravam qualquer coisa além do solo negro e fértil do Delta e do Vale do Nilo como o deserto, um lugar de desordem e perigo, chamando *desheret*, a "terra vermelha". A separação abrupta entre a vegetação segura e vital e o perigo selvagem e inóspito foi tão impressionante para os antigos egípcios quanto é para as pessoas de hoje. A oeste estavam as dunas amarelas e os oásis verdes do Deserto Ocidental, enquanto a leste estavam as montanhas e as colinas do

A arte egípcia apresentava as pessoas de maneiras padronizadas, como os seus inimigos (da esquerda para a direita): um líbio, um núbio, um asiático, um "homem do norte" e um hitita com trajes líbios.

Deserto Oriental. Ainda mais além havia terras bem diferentes da paisagem egípcia, onde pessoas estranhas viviam em um terreno montanhoso, contrastando com a geografia do Egito. Na verdade, as fronteiras naturais do Egito tal qual existem – os desertos a leste e a oeste, o Mar Mediterrâneo ao norte e as perigosas cataratas do Nilo ao sul (agora, perdidas no Lago Nasser) – promoveram uma atitude de invencibilidade e separação do resto do mundo. Uma mentalidade de "eles" e "nós" foi reforçada por quaisquer invasores, ou mesmo comerciantes pacíficos, que surgiam cintilantes e sem aviso prévio sobre o ambiente hostil do deserto, dos produtos e das personificações de seu perigo inerente, como tempestades de areia, cobras e escorpiões – ameaçando o casulo precioso e agradável do Egito. Consequentemente, as imagens do faraó atacando estrangeiros, que eram estereotipados, tornaram-se um símbolo do domínio real (portanto, egípcio) e do mundo retornando ao seu estado apropriado de ordem.

Foi em locais remotos do deserto que os egípcios obtiveram muitos de seus recursos naturais. A turquesa podia ser encontrada no Sinai, e o ouro e as pedras semipreciosas, no Deserto Oriental. Os materiais eram, frequentemente, escolhidos devido ao significado simbólico de suas cores: o verde era associado à vida, à prosperidade e à saúde; o preto, ao Duat, à fertilidade e ao renascimento. Os veios da serpentina[23] têm a aparência de uma cobra, por isso ela era usada para fazer amuletos e estátuas para lutar contra picadas de cobra e venenos. As pedras vermelhas simbolizavam a carne humana, enquanto o ouro era a carne dos deuses e estava associado ao sol.

Certos materiais tinham origens mitológicas e divinas. Um mito relata:

> *Hórus chorou, e a água de seu olho caiu no chão, escorreu, e, assim, surgiu a mirra. Geb não se sentia bem, e o sangue de seu nariz caiu no chão, escorreu e se transformou em pinheiros, e, assim, a resina surgiu de sua seiva. Shu e Tefnut choraram amargamente, e a água de seus olhos caiu no chão, escorreu, e, assim, o incenso passou a existir.*
> (*PAPIRO* SALT 825)

A presença de um mineral vermelho, encontrado no 18º Nomo do Alto Egito, foi explicada como uma pedra manchada de sangue, deixada na época em que Anúbis decapitou os seguidores de Seth em uma montanha na região. Um mito de Bubastis refere-se ao sangue da deusa Bastet caindo e se transformando em turquesa.

Os penhascos do Deserto do Sinai, a terra da turquesa.

23. Um mineral de cor verde-escura, semelhante ao jaspe. A presença de silicato de magnésio dá a aparência similar à de escamas de cobra [N.T.].

Dizem que as terras do deserto foram "dadas a Seth", mas outros deuses também foram associados ao deserto. Frequentemente mostrado como um homem ou um falcão, Ash era um deus do Deserto Ocidental, e dentre as suas responsabilidades estavam os vários oásis e a Líbia. Ash também apaziguou as divindades raivosas que ameaçavam o falecido no Duat. Outra divindade do deserto era Ha, identificável pela presença de três colinas em sua cabeça, o símbolo hieroglífico de terras estrangeiras. Em sua representação, ele aparece armado com uma faca ou um arco, protegendo as pessoas do perigo no Deserto Ocidental e nos oásis, especialmente de nômades e líbios. Como o sol se põe no Oeste, o Deserto Ocidental era bastante associado à morte.

Acreditava-se que Min e Hathor vigiavam as rotas do deserto. Min estava associado ao Deserto Oriental, mas sua principal responsabilidade divina era a procriação sexual; sua fertilidade era enfatizada por sua pele negra, como a terra negra fértil do Egito, e seu pênis ereto, normalmente com um dos braços erguidos – um gesto ameaçador que reforça o seu poder de proteção. Também se acreditava que ele enviava nuvens de chuva para o deserto. Sopdu, como o Senhor do Oriente, era associado à fronteira oriental do Egito, protegendo soldados estabelecidos em fortalezas e postos avançados de mineração. Quando representado como um homem, ele podia ser reconhecido pelos seus cabelos longos e a barba pontuda, com a aparência de um guerreiro beduíno. Normalmente, aparece armado com uma lança ou um machado e com uma coroa de plumas altas. Sopdu também é mostrado como um falcão agachado com um mangual[23] sobre o ombro. Pakhet, "aquela que arranha" ou "a rasgadora", era uma deusa agressiva, responsável pela entrada dos *wadis* (leitos de rios secos). As minas também estavam ligadas a certos deuses e deusas. Na mina de turquesa em Serabit el-Khadim, no Sinai, membros das expedições de mineração faziam preces a Hathor, a Senhora de Turquesa, pedindo por proteção. Hathor também era conhecida como a "Senhora de Malaquita" e associada ao ouro e ao cobre.

---

23. Também conhecido como malho, é um instrumento utilizado para debulhar cereais [N.T.].

◂ 6 ▸

LIDANDO COM O INVISÍVEL NA VIDA DIÁRIA

Além de fornecer explicações para as características físicas do mundo ao seu redor, o universo mitológico estava em todos os aspectos da vida diária dos egípcios. Os mitos são responsáveis pelas doenças, pelos dias bons e ruins e pelos sonhos. Nesse mundo sobrenatural, a magia era uma ferramenta poderosa no dia a dia, utilizada para manipular o meio ambiente e evitar problemas, mas a sua eficácia dependia de um precedente mítico. O mítico, o sobrenatural e o mundano estavam profundamente interligados na vida diária dos egípcios.

◂ MITOLOGIA E TEMPLOS ▸

É 1200 a.C. e você chega à grande muralha do Templo de Amun, em Karnak; com seu formato retangular, alto e de cor cinza, formado por tijolos de barro dispostos em um padrão ondulado, e os mastros acima de você, lançando enormes sombras no chão. Protegendo o complexo do templo, essas paredes marcam uma divisão clara entre o ruído e a agitação da cidade, com habitações densamente apinhadas, vendedores barulhentos e ruas repletas de lixo, e a santidade pura da casa do deus.

Você passa pelo terreno e vê as paredes de arenito do Templo de Amun. A entrada é um pórtico alto, com mastros de bandeira na fachada erguendo-se em direção ao céu, imagens do rei na companhia dos deuses esculpidas profundamente no arenito. A escala do pilono, muito mais alta do que qualquer edifício perto de sua casa, invoca uma sensação de admiração, e você louva os deuses por favorecerem o Egito. Por toda parte, os peregrinos arranham as paredes com os dedos, querendo levar para casa fragmentos do poder divino do templo. Outros esfregam estátuas de nobres do passado, que se agacham ou se ajoelham diante das entradas como sentinelas de pedra, olhando fixamente para a frente como se estivessem petrificados pela eternidade. Cada uma dessas portas de madeira leva tentadoramente aos confins sagrados da casa de Amun, mas todas estão fechadas para você. Apenas em ocasiões especiais elas são abertas, e o público é temporariamente permitido no interior sagrado do templo, mas, mesmo assim, apenas até os pátios externos. Lá, peregrinos privilegiados encontram outras estátuas da elite do passado do Egito, homens com autorização real para colocar suas estátuas nos pátios do templo, permitindo-lhes participar eternamente nos festivais sagrados anuais, receber oferendas do templo e estar perto do deus interior. Hoje, porém, não é uma ocasião especial; entrar no templo requer pureza ritual, e não ser um sacerdote ou um faraó – o sacerdote mais alto da terra – é falhar no teste.

Um templo egípcio não era como uma igreja ou uma mesquita, não era um lugar para a população em geral de uma vila ou uma cidade se reunir e orar regularmente: era a casa de um deus, seu palácio terreno, uma interface entre o céu e a terra, uma representação do cosmos. Era, também, uma zona carregada de mitos: o grande muro que circundava o templo servia como uma fronteira entre a ordem e a desordem, com cursos de tijolos de barro que se assemelhavam a ondas, provavelmente imitando as águas de Nun, que batiam nos limites da criação. A entrada do pilar representava o horizonte, um lugar de transição entre distintos planos de existência, suas torres gêmeas, os picos das montanhas que emolduravam o sol nascente. O eixo em linha reta do templo imitava o curso traçado pelo sol no céu. A sala hipostila representava um pântano, um local de transição onde as águas do Nun deram lugar ao monte da criação. Suas colunas eram as plantas desse pântano, seus capitéis eram aglomerados de papiros ou flores de lótus. Simultaneamente, as colunas serviam como pilares do céu, uma imagem reforçada pelo padrão de estrelas pintado nos tetos dos templos. O santuário do deus, na parte de trás do templo, era o primeiro monte da criação, mas também uma representação do céu, fornecendo ao seu ocupante divino um ambiente familiar na terra. Os diferentes reinos da criação também foram construídos na planta arquitetônica do templo: o teto e as partes superiores das paredes refletiam o reino do céu; as paredes inferiores e o piso, a terra; e as criptas abaixo, o Duat.

Dentro de seu santuário, o deus se manifestava por meio de sua estátua de culto, feita de pedra, ouro, prata ou madeira dourada e adornada com pedras preciosas. Ele nem sempre estava presente ali, mas poderia habitá-la quando quisesse, fundindo-se com essa forma física para que o sumo sacerdote pudesse interagir com sua força invisível. No santuário, no interior do templo, os sacerdotes realizavam rituais para o deus ao nascer do sol, ao meio-dia e ao pôr do sol (momentos-chave no ciclo da vida diária do sol, alimentando-o, vestindo-o e ungindo-o com fragrâncias), na esperança de que ele pudesse realizar boas ações em troca. Esses eram rituais exclusivos, realizados por poucos escolhidos; apenas o sumo sacerdote de uma divindade e o rei podiam colocar os pés no santuário, aqueles que ajudavam nos rituais eram relegados aos cômodos e aos corredores externos.

A pessoa comum, portanto, era excluída e afastada dos deuses em seus templos, assim como do rei em seu palácio. Os egípcios requeriam outros meios para construir um relacionamento com o divino.

Então como você pode entrar em contato com um deus?

◄ ENTRANDO EM CONTATO COM DEUSES ►

As estátuas colocadas no pátio do templo e na frente dos portões e das portas externos eram uma maneira de o egípcio médio se aproximar das suas divindades. Alguns deles, seja representando nobres, seja representando reis, serviam como intermediários, transmitindo as orações dos peregrinos aos deuses no interior do templo em troca de terem seus nomes e suas fórmulas de oferendas lidas em voz alta. Como relata uma inscrição esculpida em uma estátua do alto oficial Amenhotep Filho de Hapu, que antes ficava na frente do décimo pilar do Templo de Karnak:

Uma estátua com a inscrição do alto funcionário Amenhotep Filho de Hapu.

Ó, povo de Karnak, que deseja ver Amun. Venha a mim a fim de que possa relatar suas petições. Eu sou o arauto desse deus, como Nebmaatre [Amenhotep III] me designou para anunciar o que as Duas Terras dizem. Realize para mim "uma oferenda que o rei concede", evoque meu nome todos os dias como se fosse para alguém que é louvado...
(MUSEU EGÍPCIO, JE 44862)

Os devotos também podiam entrar em capelas especiais do "Ouvido que escuta", construídas contra a parede externa posterior dos templos (tornando-os sempre acessíveis); dentro, grandes estátuas do rei e dos deuses podiam ser abordadas e solicitadas. Imagens divinas, esculpidas o mais próximo possível do santuário nas paredes externas do templo, também podiam ser abordadas; essas imagens transmitiam mensagens por meio da parede do templo para o deus em seu santuário no lado oposto. Da mesma forma, mensagens escritas em linho e presas a pedaços de madeira poderiam ser inseridas nas paredes de tijolos de barro dos santuários ou das capelas, ou nas portas do templo ou em suas molduras. Assim, o deus pode ler a mensagem dirigida a ele.

Além das grandes paredes dos templos estatais, pequenos santuários pontilhavam a paisagem egípcia. Eram abertos a todos e, muitas vezes, dedicados a deuses que tinham uma influência particular na vida cotidiana, como Hathor, deusa do amor, do casamento e da maternidade. Em seu santuário em Tebas, as pessoas deixavam estatuetas de mulheres ou falos em busca de fertilidade. Orações de agradecimento ou penitência, inscritas em estelas votivas, também podiam ser deixadas em locais sagrados. Se um indivíduo acredita que um deus interveio em seus assuntos pessoais, ele poderia anunciar o poder do deus para o mundo dessa maneira. As "estelas de orelha", inscritas com textos e esculturas de orelhas grandes, também podem ser deixadas em santuários ou nas proximidades de templos. Agindo como um telefone sagrado, os ouvidos divinos davam ao peticionário uma linha direta com um deus ou uma deusa, garantindo que ele ou ela ouviria todas as orações e os pedidos.

Uma estela de orelha de Mênfis, produzida durante o Reino Novo.

O deus Imhotep.

O deus Imhotep

Imhotep é um dos poucos deuses egípcios que começaram a vida como uma figura mortal e histórica. Como o projetista da Pirâmide Escalonada de Djoser, a primeira pirâmide construída, Imhotep viveu e morreu na 3ª Dinastia, mas, durante o Reino Novo, mais de mil anos depois, foi adorado como o patrono dos escribas. No período tardio, ele foi totalmente deificado e recebeu orações por cura, tanto que os gregos o associaram ao seu próprio deus Asclépio. Imhotep talvez seja mais conhecido na cultura moderna como a múmia nos primeiros filmes de Boris Karloff e também nos filmes mais recentes de mesmo nome, estrelados por Arnold Vosloo como Imhotep.

Magia egípcia no estilo "faça você mesmo" para invocar Imhotep

Se você sentir a necessidade de invocar Imhotep em um sonho, siga estas instruções, conforme registrado em um papiro mágico grego do século III, agora no Museu Britânico.

1. Encontre uma "lagartixa selvagem".
2. Mergulhe em uma tigela de óleo de lírio.
3. Grave as palavras "Asclépio de Mênfis" (ou seja, Imhotep) em grego em um anel de ferro que já tenha sido uma algema.
4. Mergulhe o anel em seu óleo de lírio curtido com a lagartixa.
5. Segure o anel em direção à Estrela Polar.
6. Diga sete vezes: "Menofri, sentado sobre os querubins, envie-me o verdadeiro Asclépio, não um demônio enganador em vez do deus".
7. No quarto onde você dorme, queime três grãos de incenso em uma tigela e passe o anel pela fumaça.
8. Diga sete vezes: "Lorde Asclépio, apareça!"
9. Use o anel no dedo indicador da mão direita enquanto você dorme.
10. Espere que Imhotep apareça em seu sonho.

A barca sagrada de Amon-Rê, representada no templo de Seti I, em Abidos.

◄ FESTIVAIS E ORÁCULOS ►

Em certas ocasiões festivas, os sacerdotes retiravam a estátua do deus de dentro de seu santuário no interior do templo e a colocavam em um santuário portátil, a bordo de sua barca divina, geralmente armazenada em uma sala ao lado do santuário. Erguendo o barco com mastros e sustentando o peso nos ombros, os sacerdotes carregavam o deus em procissão para fora do templo. Durante todo o processo, a estátua divina permanecia oculta por trás de um véu, protegida dentro do barco divino dos olhos dos impuros. (Uma exceção notável a isso é a estátua do deus Min, que parece ter sido totalmente visível durante suas procissões.)

Nessas ocasiões – que normalmente envolviam uma procissão do deus da cidade, uma forma local de Amun ou um rei falecido e deificado, como Amenhotep I, em Deir el-Medina –, o público poderia se aproximar do deus para uma consulta. As pessoas podiam conseguir a opinião do deus de várias maneiras: a mais simples era fazer uma pergunta, para a qual o deus daria sua resposta inspirando os sacerdotes a inclinarem seu barco divino para a frente, caso a resposta fosse "sim", ou fazendo-os recuar, caso a resposta fosse "não". Às vezes, alternativas eram apresentadas – cada qual escrita em cacos de cerâmica, lascas de calcário ou papiros. Essas alternativas eram, então, colocadas no chão em frente à procissão, para o olhar divino do deus examinar as opções. Nesses casos, ele simplesmente exortaria os padres a avançarem para a declaração mais adequada, "pegando" uma resposta. Em outras ocasiões, uma lista podia ser lida em voz alta na presença do deus, e seu movimento indicava quando parar. Ao contrário do que se poderia esperar, as decisões dos deuses nem sempre foram respeitadas. Um reclamante, durante a 20ª Dinastia, apresentou seu caso diante de três formas locais diferentes de Amun. No entanto, todas confirmaram sua culpa.

Mais tarde, na história egípcia, os templos tinham quartos onde os peregrinos podiam dormir na esperança de contatar um deus em um sonho, uma prática chamada incubação. Se você desejava a cura da esterilidade, por exemplo, visitava o templo, dormia a noite toda

---

Livros de sonhos

Se você preferisse dormir em casa em vez de no templo, poderia passar a noite em sua própria cama e visitar o templo no dia seguinte para pedir que seu sonho fosse interpretado por um profissional. Os sacerdotes egípcios mantinham livros de sonhos, que registravam interpretações para muitas situações. Uma entrada diz: "Se um homem vê, em um sonho, o deus que está acima, [é] bom, isso significa uma grande refeição". Outra afirma: "Se um homem se vê em um sonho bebendo vinho, [é] bom, significa viver de acordo com o *maat*". Contudo, nem todos os sonhos foram interpretados de maneira positiva: "Se um homem se vê em um sonho bebendo cerveja quente, [é] ruim, significa que o sofrimento virá sobre ele". Além disso: "Se um homem se vê em um sonho removendo as unhas dos dedos; [é] ruim, [significa] tirar as obras de suas mãos". Se você tivesse preguiça de sonhar, poderia pagar a um sacerdote para sonhar por você.

---

e, na manhã seguinte, descrevia o que tinha visto para o intérprete de sonhos. Ele, então, explicava a melhor maneira de você proceder para ter um filho. Talvez o templo mais importante associado à incubação seja o de Imhotep, no "Pico" de Saqara. No Período Tardio, as pessoas oravam a Imhotep pedindo ajuda médica e iam ao seu templo dormir e sonhar na esperança de que esse arquiteto que se tornou deus aparecesse e os curasse (ou, pelo menos, sugerisse um remédio). Próximo dali, outra câmara de incubação foi dedicada ao deus Bes (cf. a seguir); era decorada com imagens eróticas e talvez fosse o lugar onde as pessoas iam para curar seus problemas sexuais ou de fertilidade, ou mesmo para dar à luz.

◀ MITOS DE CALENDÁRIOS ▶

O calendário civil egípcio era composto de três estações, nomeadas em homenagem aos eventos agrícolas do ano: *peret* (cultivo), *shemu* (colheita) e *akhet* (inundação). Cada estação durava quatro meses, e cada mês durava trinta dias, divididos em três semanas de dez dias (chamadas de primeira, do meio e última). Cinco dias extras foram adicionados ao final do ano como os aniversários dos deuses mais importantes, conhecidos como dias "epagomenais". No total, eram 365 dias no ano. Como um verdadeiro ano solar é um pouco mais longo do que isso, o calendário civil e o ano solar ficaram fora de sincronia, deixando os nomes das estações desconectados dos eventos que eles descreviam. Assim, embora o dia de ano-novo (*renpet wenpet*, "o abridor do ano") fosse celebrado no início do calendário civil, os egípcios também reconheciam a ascensão helíaca de Sirius como o início de seu ano agrícola solar. Devido à mudança no calendário, esse evento só coincidia com o mesmo dia no calendário civil uma vez a cada 1.460 anos.

As estações trouxeram problemas para eles. O Nilo atingia seu ponto mais baixo nos meses quentes de verão, e as pragas, conhecidas como "a praga do ano", espalhavam-se por todo o país. Aqueles que sucumbiam à doença eram considerados como atingidos pelas Sete Flechas de Sekhmet, um nome dado aos *minions* da deusa. A partir do século III a.C., os demônios de Sekhmet eram liderados pelo deus Tutu, em geral, descrito como uma esfinge. Por meio da ação ritual, a agressiva Sekhmet poderia ser acalmada e transformada na mais amigável Bastet, Hathor ou Mut, formas em que ela poderia lutar contra a peste em vez de encorajá-la. As pessoas também usavam feitiços para repelir a praga de Sekhmet. Enquanto caminhavam pela casa, segurando um bastão de madeira *des*, um homem poderia recitar: "Retirem-se, assassinos! Nenhuma brisa vai me atingir para que os transeuntes passem, para se enfurecer contra o meu rosto. Eu sou Hórus, que passa pelos demônios errantes de Sekhmet. Hórus, broto de Sekhmet! Eu sou o Único, filho de Bastet – não vou morrer por sua causa!" Esse era apenas um de muitos feitiços usados para proteger a casa.

Igualmente perigosos eram os cinco dias epagomenais adicionados ao calendário civil após o último dia "verdadeiro" do ano. Essa era uma época de grande perigo e pânico, pois os egípcios temiam que o cosmos pudesse paralisar e que o novo ano talvez nunca aparecesse. No último dia epagomenal, pensava-se que Sekhmet havia assumido o controle de 12 Mensageiros, assassinos (*khayty*), que saíram do olho de Rê. Presente em todo o Egito, eles podiam ver de longe, atirar flechas de suas bocas e promover a matança por meio de pragas e pestes. Compreensivelmente, então, a chegada do dia de ano-novo era um momento de grande felicidade, quando as pessoas festejavam trocando presentes.

Os calendários dos dias bons e ruins associavam cada dia do calendário civil a um evento mítico particular e sugeriam ao leitor o curso de ação correto a ser adotado naquele dia para evitar problemas ou para obter sucesso. Esses eventos, às vezes, são apresentados no presente, como se sua atividade mítica fosse cíclica e contínua, ocorrendo sempre no mesmo dia de cada ano. Muitos verbetes alertavam contra sair de casa, comer certos alimentos ou mesmo navegar; outros alertavam contra a pronúncia do nome de Seth em certos dias. Para o 14º dia do primeiro mês da temporada de Peret, a entrada do calendário diz: "Choro de Ísis e Néftis. É o dia em que elas prantearam Osíris em Busíris em memória do que eles tinham visto. Não dê ouvidos a músicas e cantigas neste dia". Para o dia 7 do terceiro mês de Peret, somos informados: "Não saia de sua casa até Rê se pôr. É o dia em que o olho de Rê chamou os seus seguidores, e eles o alcançaram à noite. Cuidado com isso".

◀ OS DEUSES DO LAR ▶

A grande maioria da população do Egito vivia na zona rural, morando em casas de tijolos de barro e arando os campos. Embora as divindades fossem tão inacessíveis em seus grandiosos templos quanto o faraó em seu palácio, os deuses e sua mitologia ainda desempenhavam um papel proeminente na casa. Isso pode ser perfeitamente ilustrado graças aos restos bem preservados das casas em Deir el-Medina, um assentamento estatal construído para as famílias dos artesãos que cortaram e decoraram as tumbas reais no Vale dos Reis durante o Reino Novo.

Chegando do Templo de Karnak, talvez depois de ter assistido a uma procissão do festival ou após se encontrar com um sacerdote para discutir seus sonhos, o artesão entra em casa por uma porta de madeira, pintada de vermelho para repelir as forças do mal, e na primeira das quatro salas da casa estreita e retangular. Situada em um canto há uma plataforma elevada de tijolos com degraus – um santuário associado à fertilidade, decorado com imagens do deus Bes, de mulheres dançando e da videira Convolvulus, um símbolo normalmente associado a "árvores do nascimento". Tanto nessa sala quanto na seguinte, onde uma coluna sustenta o teto e um banco baixo de tijolos de barro oferece um lugar para descansar, nichos retangulares e arqueados são colocados nas paredes de tijolos; estelas e bustos de pedra dedicados aos ancestrais – pessoas consideradas como "excelentes espíritos de Rê" – permanecem lá dentro. Esses objetos sagrados são adorados pelo artesão e por sua família,

Bustos ancestrais como esse eram uma forma de conectar os vivos e os mortos.

que colocam oferendas em mesas de pedra e buquês de flores de calcário diante delas para pedir o apoio dos mortos recentes. Nas mesmas duas salas, outros nichos contêm estátuas em miniatura de deuses do Estado, incluindo Sobek, Ptah e Amun ("do bom encontro"). Estátuas de deuses domésticos, como Hathor e Taweret, ficam em nichos por toda a casa, acompanhadas de bustos ancestrais, estelas e mesas de oferendas. A cozinha do artesão contém santuários para deusas associadas à colheita, como Meretseger e Renenutet, e ele mantém estatuetas de fertilidade em seu quarto, para garantir uma boa vida sexual e a descendência que se segue. Ao realizar rituais, o trabalhador queima incenso, considerado o perfume dos deuses e chamado, no antigo egípcio, de *senetjer*, que significa, literalmente, "fazer com que seja divino"; seu cheiro agradável se espalha pelo ar, e, ao inalá-lo, o trabalhador se aproxima da divindade invocada, permitindo-lhe interagir e comunicar-se com essa força invisível.

Nesse espaço confinado de tijolos de barro e pedra, a vida do trabalhador se desenrola: nascimentos, noites agradáveis com a família e os amigos, querelas, sonhos não realizados e esquecidos, pesadelos, envelhecimento e morte. Por tudo isso, seu tempo na terra é dominado pela presença dos deuses e de sua mitologia. O artesão ora a eles quando precisa; ele se consola e se inspira em como os deuses superaram os problemas que enfrentaram e continuam enfrentando. O trabalhador fica tranquilo com sua presença constante em cada cômodo da casa, invocando suas forças benevolentes para influenciar a melodia imprevisível deste mundo em grande parte indiferente e, por vezes, hostil. Na verdade, o favorecimento dos deuses combate a indiferença e permite o domínio sobre a hostilidade. Ele não precisa acreditar nisso, pois sabe que é verdade. Afinal, o envolvimento dos deuses nos assuntos humanos explica, nitidamente, muitos dos mistérios da vida cotidiana: Como cada indivíduo é formado? Para onde vamos quando dormimos? Por que ficamos doentes? Quem decide quando morremos? Por que alguns vivem uma vida longa enquanto outros morrem jovens? O que agora é mitologia já foi explicação.

As deusas Taweret (à esquerda) e Meretseger (à direita).

Deuses domésticos populares

Bes

O deus Bes.

O deus Bes é incomum na arte egípcia, porque os artistas o pintaram de frente, olhando para o espectador. Ele exibe feições leoninas, com crina e cauda, e está de pé com as mãos nos quadris. As suas pernas são como as de um anão, e ele tem uma alta coroa com plumas sobre a cabeça. O nome de Bes, provavelmente, deriva da palavra *besa* ("proteger"), já que sua responsabilidade divina era assustar os demônios. Em particular, ele protegia crianças, mulheres grávidas e aquelas que estavam dando à luz, além de afastar cobras. Para invocar a ajuda de Bes, os egípcios pintaram ou esculpiram sua imagem em objetos domésticos, especialmente móveis dos dormitórios.

Renenutet

Renenutet, muitas vezes descrita como uma cobra em crescimento com um disco solar e chifres no topo da cabeça, ou como uma mulher com cabeça de cobra, tinha o poder de nutrir os campos e os jovens, encorajando-os a florescer. Por essas razões, ela era adorada como a deusa da maternidade, da fertilidade e da colheita, e considerada uma babá divina. Ela também protegia o rei e podia destruir seus inimigos com um único olhar. Na história egípcia posterior, Renenutet foi associada ao destino.

Mafdet

Mafdet era uma protetora violenta, descrita como um mangusto africano. Ela usava suas garras e seus dentes para atacar e decapitar os inimigos, especialmente aqueles do deus do sol Rê. Essa natureza agressiva foi aproveitada pelos egípcios em suas vidas diárias. Eles a retrataram em itens mágicos e invocaram seu nome em encantamentos, principalmente para afastar espíritos. Apesar de ajudar os vivos, Mafdet não era tão bem-vinda pelos mortos: na sala de julgamento de Osíris, ela, às vezes, aparece como carrasca dos condenados.

Taweret

Taweret, frequentemente chamada de Ipet até o final do Reino Médio, era outra importante divindade doméstica. Ela é um hipopótamo temível com seios pendentes, barriga e braços redondos e pernas (um tanto atarracadas) de leão. Sua cauda e suas costas, no entanto, assumem a forma de um crocodilo. Na cabeça, ela usa duas plumas em um *modius* (uma coroa cilíndrica e de topo achatado) e um disco solar. Em geral, ela segura um símbolo *sa* de proteção e um símbolo *ankh* de vida, e, por vezes, uma faca. Em suas vidas diárias, os egípcios usavam amuletos de Taweret para afastar os poderes do mal, e ela era, frequentemente, retratada em casa durante o parto. Ela também foi ilustrada em camas e esculpida em cabeceiras para proteger quem dormia.

◀ NASCIMENTO E DESTINO ▶

Como nosso artesão bem sabia, os deuses desempenharam um papel fundamental na vida desde o momento da concepção. Alguns egípcios acreditavam que Ptah criava humanos e deuses, formando divindades com pedras e metais preciosos, e a humanidade, com lama ou argila. Outros consideravam o deus com cabeça de carneiro Khnum como a divindade que moldou deuses, humanos e animais; para eles, Khnum tomou um pedaço de argila em sua roda de oleiro e, a partir daí, moldou cada pessoa junto com seu *ka* (seu duplo ou sua força vital).

A magia era usada no momento do parto para proteger a criança, especialmente de espíritos femininos, que se acreditava representar um perigo particular. Bes e Taweret ajudaram a repelir esses espíritos, embora outras divindades estivessem especificamente associadas ao processo de nascimento, como Heket, Meskhenet e Shay (cf. quadro das p. 156-157). Quando chegava a hora de a mãe dar à luz, nenhum nó era permitido na casa, seja para amarrar o saiote do pai ou o cabelo da mãe, porque os nós, magicamente, restringiam o nascimento. O *Papiro de Berlim 3027* apresenta os "Encantamentos mágicos para mãe e filho", para serem recitados por um sacerdote-leitor (cf. p. 159). Um deles repele os demônios que podem machucar o bebê, outros se relacionam com a prevenção de doenças e a proteção do leite materno. Alguns encantamentos deveriam ser lidos ao amanhecer e ao pôr do sol e, depois, ao nascer e ao pôr do sol seguintes. Demônios prejudiciais à nova criança eram repelidos com alho e mel, considerados amargos para os mortos, enquanto objetos do cotidiano usados pela criança, como copos, por exemplo, podiam ser decorados com imagens de Taweret segurando facas e Bes segurando cobras: cenas assustadoras usadas para afastar o mal.

Toth decidia a duração da vida de uma pessoa, enquanto o destino final de um indivíduo era decidido no nascimento e anunciado pelas Sete Hathors. No "Conto do príncipe condenado", do Reino Novo, essas deusas anunciaram que o príncipe morreria por crocodilo, cobra ou cachorro, enquanto, no "Conto dos dois irmãos" (também do Reino Novo), elas avisaram que a esposa de Bata seria morta por "uma lâmina [do carrasco]". No "Conto do filho pródigo", do século I d.C., um pai é informado de que seu filho morrerá, "na idade de dormir com uma mulher". Os deuses tinham o poder de mudar o destino de uma pessoa; no entanto, Amun "prolonga a vida inteira e a encurta. Ele aumenta a duração fixada pelo destino em nome daquele a quem ama". Também pensava-se que Meskhenet determinava a posição social e que Renenutet decidia a riqueza material.

Deuses do nascimento e do destino

Heket

A deusa Heket, mostrada como uma rã ou com uma cabeça de rã, era considerada uma contraparte feminina de Khnum e, às vezes, é referida como sua esposa, embora também apareça como a esposa de Hórus o Velho, ou do deus Heh. Associada ao parto, sua imagem era esculpida em varinhas apotropaicas (também chamadas de presas de nascimento) no Reino Médio, e amuletos em sua forma foram usados durante o Reino Novo.

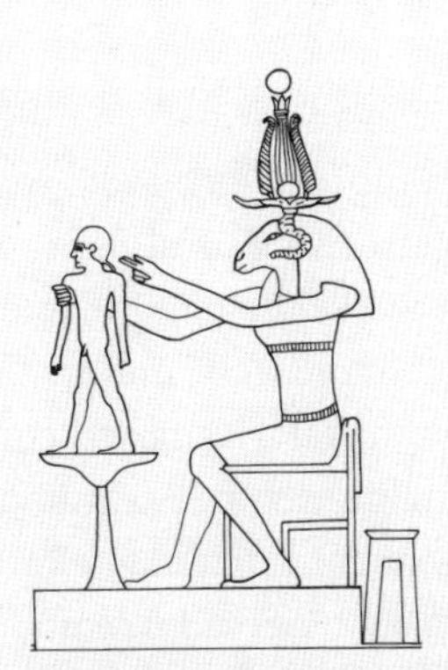

O deus Khnum moldando um homem em sua roda de oleiro.

Khnum

Khnum era representado com a cabeça de um carneiro, às vezes com uma coroa de *atef* com plumas na cabeça e uma peruca tripartida. Junto à sua esposa, Satet, e à sua filha Anuket, ele era adorado em Elefantina, na tradicional fronteira sul do Egito, de onde controlava a inundação do Nilo. O lodo depositado pela inundação formava argila e levou à crença de que Khnum moldou todas as criaturas a partir da argila, incluindo os seres humanos, em sua olaria. Ele também criou todas as plantas, as flores e as frutas, e até garantiu que as pedreiras fossem preenchidas com pedras preciosas.

Meskhenet

No Antigo Egito, as mulheres davam à luz agachadas, equilibrando-se sobre tijolos. A deusa Meskhenet presidia o nascimento como a personificação desses tijolos de nascimento. Por essa razão, o símbolo mostrado em sua cabeça foi interpretado como o útero estilizado de uma vaca. No entanto, ela também poderia ser retratada com um tijolo de nascimento na cabeça ou como um tijolo com cabeça de mulher. Meskhenet, às vezes, era considerada como a divindade que determinava o destino de uma criança. Da mesma forma, ela poderia estar presente na cerimônia de pesagem do coração do falecido (cf. p. 194), ficando próxima da balança que determinaria seu destino. Desse modo, ela não estava presente apenas no nascimento, mas também no renascimento.

Shay

Shay, a personificação do destino, raramente é retratado, mas, quando aparece, é mostrado em forma humana, com uma barba curva, às vezes como uma cobra. Conhecido apenas a partir da 18ª Dinastia, ele era venerado em todo o Egito como uma força positiva, um protetor, que representava a influência positiva dos deuses na vida de uma pessoa. Shay surgiu por meio da vontade criativa de uma divindade. Seu oposto, Nemesis, uma forma de retribuição divina, foi personificado como Pa Djeba "O Requerente".

◀ O SONO ▶

Durante o sono, em estado inconsciente, considerava-se que uma pessoa estava em condição semelhante à da morte. Dormindo, você pode acordar em um sonho, um estado alternativo da realidade, no qual você desfrutou de uma percepção alterada, sendo possível testemunhar eventos se desenrolando em locais distantes – até mesmo tão longe como o Duat. Essa nova condição era, metaforicamente, considerada como um lugar existente em algum lugar entre este mundo e o Duat, de onde tanto os vivos quanto os seres normalmente invisíveis, como os deuses e os mortos, podiam ser observados, embora não interagissem. Assim, sonhar não era visto como uma ação; em vez disso, você fechava os olhos e acordava em estado de sonho.

Embora uma pessoa pudesse encontrar um deus em um sonho, havia o medo de que, enquanto estivesse inconsciente, demônios ou fantasmas entrassem no quarto sem serem convidados, às vezes até a agredindo sexualmente. Eles também podem aterrorizar alguém adormecido em seus sonhos. Por esse motivo, imagens de Bes e Taweret eram colocadas ao redor do quarto e usadas para decorar as cabeceiras. As partes vulneráveis da casa também podem ser associadas a deuses – por exemplo, as fechaduras das portas podem ser atribuídas a Ptah, enquanto as quatro senhoras nobres, normalmente nos quatro cantos de um sarcófago, seriam chamadas para proteger os quatro cantos da cama. Os egípcios colocavam um *uraeus* (uma naja da criação) de barro puro com fogo na boca em cada canto do quarto, para lutar contra pesadelos e demônios. Estelas especiais, usadas para afastar cobras e escorpiões e para curar aqueles que pudessem ser atacados por eles eram penduradas nas paredes. Até o quarto do Rei Amenhotep III em Malkata, a oeste de Tebas, foi protegido com imagens de Bes e teve o teto pintado com a imagem da deusa Nekhbet como um abutre de asas estendidas.

Seth criou os elementos dos quais nasceram os pesadelos. Para espantar esses terrores noturnos, rituais mágicos podiam ser realizados, os quais serviam como proteção contra todas as forças do mal que podem "sentar-se sobre" uma pessoa. (A ideia de um demônio sentado sobre uma pessoa durante a noite é encontrada em todo o mundo e descreve a sensação de estar paralisado ou esmagado durante a paralisia do sono e os pesadelos. Na cultura chinesa, por exemplo, acredita-se que um fantasma pressiona o corpo, enquanto, em alguns países muçulmanos, acredita-se que os pesadelos são causados por *jinn* [gênios] do mal. Atualmente, no Egito, na Cisjordânia, em Luxor, esses seres são chamados de *qabus*.) Nesses feitiços, como aqueles em "*O livro de expulsar medos* que vêm para descer sobre um homem durante a noite" (agora, *Papiro Leiden I 348 v. 2*), uma pessoa se associava a vários deuses, como Atum, ou desempenhava o papel de Hórus. Deuses como Osíris ou Sia também podiam ser chamados para se obter ajuda. Os demônios eram instruídos a se afastar, para que o mau-olhado não pudesse cair sobre o adormecido.

◄ MAGIA E MITOLOGIA ►

A magia, de uma forma ou de outra, desempenhou um papel importante na vida diária dos egípcios. Em sua forma mais básica, os indivíduos usavam amuletos de Bes ou Taweret para afastar as forças do mal, e a maioria da população, provavelmente, conhecia feitiços simples para influenciar o mundo ao seu redor enquanto realizava suas tarefas diárias. Para problemas mais complexos, porém, era normal recorrer a um profissional: um sacerdote-leitor – pessoa treinada nos textos mágicos –, que realizava rituais poderosos.

Por causa de seus poderes especiais, os sacerdotes-leitores são personagens frequentes em contos literários. Eles reconectavam cabeças decepadas, transformavam animais de cera em animais verdadeiros, separavam os mares e animavam os homens de barro. Na verdade, eles eram indivíduos eruditos, letrados, associados aos templos, que tinham acesso a um vasto *corpus* de encantamentos e conduziam sua mágica de uma maneira bastante peculiar: intimidando os deuses. Se fosse chamado para realizar um ritual, o sacerdote-leitor, então, anunciava que tinha poder sobre os deuses e que estes deveriam fazer o que ele desejasse, pois, caso contrário, traria o caos de volta: "O céu não existirá mais, a terra não existirá mais", diz um encantamento, "os cinco dias que completam o ano não existirão mais; o sol não brilhará mais, a inundação que vem no seu tempo não mais virá". Ao mesmo tempo, o sacerdote incorpora por completo os deuses, anunciando, por exemplo, que ele é Hórus, ou Toth. Ao tornar-se completamente associado a um deus, o sacerdote ganharia a mesma influência que a divindade possuía sobre o cosmos.

Muitas referências mitológicas são encontradas em encantamentos egípcios. Ao conectar uma situação presente, geralmente uma doença, com um precedente mitológico, o encantamento ganhava autoridade – a ideia é que, se o encantamento beneficiou um deus no passado, seria igualmente benéfico no presente. Frequentemente, um encantamento derivava essa autoridade mitológica dos contos de Ísis e Hórus o Menino, quando se escondiam de Seth (cf. p. 86-87); um desses feitiços, destinado a aliviar dores corporais, identificava o sofredor com Hórus, antes de detalhar as instruções para o remédio mágico:

> *Que esses [deze]nove sinais sejam feitos com a ponta de um arpão de duas farpas; [a ser fornecido (?)] com grãos de cevada, desenhados com tinta fresca, para serem aplicados na aflição de que você sofre. Ele vai sair como um peido por trás de você! Esse feitiço deve ser dito sobre [nome], desenhado com tinta fresca na barriga de um homem, na ferida nele.*
> (PAPIRO LEIDEN I 348)

Certos relatos mitológicos de Hórus o Menino sendo envenenado ou picado, ou precisando de proteção contra cobras e escorpiões, são registrados em estelas conhecidas como *cippi*. Essas estelas estavam cobertas de encantamentos mágicos e representavam Hórus o Menino segurando animais perigosos e em pé nas costas de crocodilos. O indivíduo que fazia o ritual derramava água sobre as inscrições, que atravessavam os encantamentos e absorviam seu poder. A água, então, era bebida, para que o efeito mágico penetrasse no corpo.

Hórus o Menino segurando várias criaturas perigosas.

◄ DEMÔNIOS E ESPÍRITOS ►

Como se pensava que espíritos e demônios causavam doenças, a magia também era usada para combatê-los, e as pessoas utilizavam amuletos de Sekhmet para repeli-los. Alho, ouro, saliva e cerveja, bem como algo mais incomum, como a vesícula biliar de uma tartaruga, também eram considerados eficazes contra demônios e espíritos. Comportando-se mais como emissários dos deuses importantes, os demônios eram despachados normalmente por seus mestres divinos para a realização de tarefas específicas, como punir infrações de culto. Eles habitavam locais que serviam como uma conexão entre o Duat e o reino dos vivos, como piscinas de água (onde pode-se encontrar um demônio malévolo chamado *weret* ["um grande"]), tumbas e cavernas. Os demônios, normalmente, são descritos como cobras empunhando facas, crocodilos ou touros com corpos humanos, enquanto outros poderiam ser evocados de forma mais aterrorizante, como Shakek, "cujos olhos estão em sua cabeça, cuja língua está em seu ânus, que come o pão de suas nádegas, sua pata direita afastando-se dele, a pata esquerda cruzando a testa, que vive de esterco, que os deuses na necrópole temem".

"Demônios errantes" (*shemayu*) e "transeuntes" (*swau*) poderiam causar doenças infecciosas, mas os demônios também podiam ser enviados pelos deuses para possuir as pessoas. No demótico "Conto de Inaros", Osíris envia os demônios Amante do Conflito e Hórus-Nemesis para "criar conflito no coração de Pimay o mais jovem, filho de Inaros, contra Wertiamonniut, também filho de Inaros". Eles entram em Pimay enquanto ele se senta no festival com quarenta de seus homens, fazendo com que ele se esquecesse da festividade e, de repente, quisesse lutar, erroneamente acreditando que havia sido inspirado pelo deus Atum.

Espíritos também eram uma fonte de problemas para os vivos, como se pode ler no texto "Instruções de Ani":

> *Apazigua o espírito, faça o que ele gosta, abstenha-se do que o enoja; que você seja preservado de seus muitos crimes, para cada tipo de dano que venha dele. Um animal saiu do campo? É ele quem faz essas coisas. Estragos na eira das plantações? "É o espírito", alguém diz novamente. Tempestade na casa? Corações separados? Tudo isso é obra dele.*
> ("INSTRUÇÕES DE ANI")

Espíritos, amigáveis e malévolos – como os demônios –, eram parte do cenário mítico do Antigo Egito; a interação com os mortos era uma parte esperada da vida. O ideal é que, no fim de cada semana, uma pessoa de uma casa egípcia levasse comida e bebida para os túmulos dos ancestrais no cemitério. Durante a Bela Festa do Vale, realizada anualmente em Tebas, as famílias iam à necrópole para jantar com os mortos nas capelas das tumbas, deixando oferendas lá, tanto para os ancestrais quanto para indivíduos de renome.

Embora ficassem nos limites do assentamento, os mortos permaneceram eternamente como parte da comunidade.

Se uma pessoa desejasse se comunicar com um indivíduo falecido, ela poderia escrever uma "carta aos mortos". Essas composições, frequentemente, eram escritas a tinta no interior de tigelas de oferendas e deixadas no túmulo; uma vez que o falecido consumia as oferendas, não poderia deixar de notar a mensagem para ele. Usando essa estratégia inteligente, os vivos podiam pedir ajuda aos pais falecidos (incluindo na mensagem lembretes de favores feitos em vida escritos de forma não tão sutil) ou culpar o falecido pelos problemas. Na verdade, se uma pessoa suspeitasse que a influência maligna de um parente morto estava por trás dos problemas recentes, ela poderia até ameaçar levar o assunto ao tribunal de Osíris no Duat. Em alguns casos, uma pessoa falecida recentemente poderia ser contatada, a fim de chegar a outra que está morta há muito mais tempo.

Na concepção egípcia do mundo, era o *akh* – "espírito transfigurado" ou "morto abençoado", que passara no julgamento de Osíris – que mais se aproximava do significado moderno de "fantasma". Os *akhu* tinham acesso irrestrito a todas as partes do mundo criado e, se desejassem, poderiam "assombrar" a necrópole. Eles consideravam a tumba como seu lar e podiam ser evocados contra os inimigos. Os *akhu* também poderiam entrar na casa de uma pessoa, causar pesadelos e criar problemas caso fossem irritados. Aqueles que não conseguiram chegar ao tribunal de Osíris (que morreram violentamente ou jovens, foram executados pelo Estado ou não receberam rituais funerários adequados) foram classificados como *mut* "mortos (injustificados)". Essas eram as piores formas de mortos malignos, às vezes chamados de "os condenados". Como o *akhu*, eles também podiam causar problemas para os vivos, e acreditava-se que podiam tirar os filhos de seus pais. Os egípcios também temiam "inimigos" e "adversários", nomes dados a grupos de invasores divinos do Duat, que podiam entrar na terra dos vivos para intimidar e causar problemas. Esses seres podem ocupar o corpo de uma pessoa, causando doenças e sangramento, ou usar sua influência para gerar problemas. Em particular, uma entidade chamada Nesy causou febre. Essa crença no contato com os mortos não era compartilhada por todos os egípcios; no entanto, como a famosa "Canção do harpista" relata: "Ninguém volta de lá [a morte] para falar de seu estado, para falar de suas necessidades, para acalmar nossos corações, até que vamos para onde eles foram!"

Vários contos relacionados às atividades dos espíritos foram preservados, embora muitos sejam fragmentados. No "Conto de Petese", por exemplo, conhecido em fragmentos de papiros demóticos e provavelmente composto no século I d.C., Petese, um sacerdote de Atum, encontra um fantasma em uma tumba (ou no pátio da tumba) em Heliópolis, quando (talvez – não está claro) buscava um homem sábio para curar sua doença. Os dois andam de mãos dadas, e o fantasma ri enquanto eles conversam, mas, independentemente de quão bem eles estejam, quando Petese pergunta ao fantasma quanto tempo ainda tem de vida, este simplesmente diz para completar seus anos na terra. Irritado, Petese lança um encantamento sobre o fantasma e exige, mais uma vez, saber quanto resta de sua vida, mas o fantasma apenas diz que é impossível dizer. Mudando de assunto, Petese decide usar o fantasma como intermediário entre ele e Osíris, na esperança de que o rei dos mortos abençoados pudesse dar algumas respostas. Mas a insistência de Petese em obter respostas e a sua recusa em deixar a presença do deus até que ele respondesse enfureceram Osíris, e o fantasma finalmente cede, dizendo-lhe que ele só teria quarenta dias de vida – aparentemente, uma punição divina por roubar ouro e prata que pertencia a Ísis. Perturbado, Petese volta para casa para contar à esposa as más notícias (depois dorme com ela), e passa os próximos cinco dias de sua vida cada vez mais curta discutindo com colegas sacerdotes por 500 moedas de prata – provavelmente, uma compensação por seu papel no próprio infortúnio – para pagar por seu enterro. Como antes, ele, finalmente, conseguiu o que queria. Criou um grupo de seres mágicos, encarregados de ajudá-lo a escrever trinta e cinco contos bons e trinta e cinco contos ruins, um ruim e um bom para cada dia restante de sua vida. Não foram feitos para entretê-lo, mas eram um presente de Petese para a posteridade. Após a sua morte, no final dos trinta e cinco dias restantes, ele é enterrado, e a viúva faz oferendas a Rê. O deus do sol, então, fala com ela na voz de Petese, para que as palavras dele entrem diretamente em seu coração. Embora o restante da história seja fragmentário, é possível que tenha terminado com Rê trazendo Petese de volta à vida, de modo que ele pudesse se reencontrar com a esposa.

No demótico "Conto de Setna-Khaemwaset e as múmias" (copiado para *Papiro Cairo 30646* no início do Período Ptolomaico), o Príncipe Setna encontra três fantasmas – o Príncipe Naneferkaptah, sua esposa Ahure e seu filho Merib – na necrópole menfita quando procurava o pergaminho mágico secreto de Toth. Em vida, Naneferkaptah havia descoberto esse pergaminho secreto em um baú no fundo de um lago em Coptos, mas, ao fazer isso, havia provocado a ira de Toth, que preferia manter seus pergaminhos secretos escondidos. Para punir o saqueador, Toth enviou um demônio assassino para fazer com que ele, a esposa e o filho se afogassem no Nilo. Depois, ainda que Naneferkaptah tenha sido levado para ser enterrado em Mênfis, a esposa e o filho foram enterrados em uma tumba em Coptos, separando para sempre os restos mortais da família.

Descartando o conto de aflição do fantasma e ignorando o potencial de irritar Toth, Setna exige que Naneferkaptah entregue o pergaminho, mas ele se recusa, pedindo, em vez disso, que Setna ganhe de forma justa dele em um jogo de tabuleiro. Setna perdeu a partida, e, a cada derrota, Naneferkaptah levava o tabuleiro do jogo e martelava Setna no chão, até que apenas o topo de sua cabeça pudesse ser visto. Com a situação ficando desesperadora, Setna pede ajuda a seu irmão adotivo, que leva, então, amuletos mágicos que o permitem voar para sair do chão e roubar o pergaminho da mão de Naneferkaptah. Em retribuição, este garante que o infortúnio siga Setna aonde quer que ele vá, de modo que o príncipe, humilhado, finalmente devolvera o pergaminho à tumba. Como um ato de penitência, Setna viaja para Coptos para recuperar os corpos de Ahure e Merib. Ele encontra suas múmias sob o canto sul da casa do chefe de polícia e as traz de volta a Mênfis, para serem enterradas com Naneferkaptah, reunindo a família.

Magia egípcia no estilo "faça você mesmo": um encantamento para exorcizar espíritos com cerveja

Além de ser um alimento básico da dieta egípcia, a cerveja – seja "doce", "velha" ou "de oferenda especial" – também pode ser misturada com outros itens (frequentemente, leite, óleo ou vinho) como parte de uma receita mágica; qualquer que fosse a mistura, ela, normalmente, era deixada durante a noite antes de ser bebida. Assim, para "expulsar o sofrimento" do estômago de um homem, sementes ou frutas de rícino podem ser mastigadas e engolidas com cerveja. Papiros mágicos também podem ser embebidos em cerveja até serem dissolvidos e, em seguida, bebidos com água, permitindo que os encantamentos entrem no corpo. Mas nem sempre era necessário beber a cerveja: uma mistura de alho moído e cerveja podia ser espalhada pela casa ou pela tumba para afastar espíritos, cobras e escorpiões durante a noite. A bebida demoníaca também pode ser usada para exorcizar uma pessoa possuída por um fantasma. Portanto, se você precisa de uma boa desculpa para querer aquele litro a mais no fim da noite, diga que está possuído por demônios, compre sua bebida e ensine aos amigos o seguinte encantamento:

> *Esta cerveja de Hórus [em] Khemmis que foi produzida na [cidade de] Pe, que foi misturada na [cidade de] Dep – beba espumando! O semissacerdote está de pé em seu dever. Você é a criação do caçador que vomitou plantas Znst, láudano e flores de lótus. Beba a cerveja – é para afastar a influência de um homem ou uma mulher morto que está nesta barriga que eu trouxe...*
>
> (PAPIRO HEARST [216], 14, 10-13)

PARTE III

A MITOLOGIA DOS MORTOS (OU EXPLICANDO A VIDA NO ALÉM)

◂ 7 ▸

OS JULGAMENTOS DO DUAT (UM GUIA)

Os egípcios tinham uma visão complexa sobre o indivíduo, uma pessoa não era simplesmente uma alma singular em um corpo físico, mas um conjunto de vários elementos, cada um com sua própria razão de ser distinta: o *ka* representava a força vital e a vitalidade da pessoa; o *ba* era a personalidade e o movimento; a *sombra* existia ao lado do corpo em vida, mas era independente após a morte; o *coração* servia como sede do pensamento e da consciência; o *nome* era fundamental para a identidade de uma pessoa; e o corpo físico era uma imagem e um recipiente para a pessoa. Esses blocos corporais e espirituais estavam integrados no todo e eram incapazes de operar sozinhos, pelo menos durante a vida.

◂ A MORTE ▸

> *Você dorme para poder despertar; você morre para que possa viver.*
> (TEXTO DAS PIRÂMIDES 1975B)

Na morte, quando o corpo era privado do "sopro da vida", as partes componentes do indivíduo se separavam. A pessoa como uma unidade se desintegrava, mas os destinos das múltiplas partes permaneciam emaranhados. A perda de um único elemento do indivíduo significava a segunda morte do todo, então todos tinham que ser cuidados e protegidos. O *ka* permanecia perpetuamente na tumba, exigindo sustento para sobreviver, enquanto o *ba* voava para o reino da vida após a morte no Duat, para existir em uma fase de transição entre a morte física e o julgamento, viajando de seu ponto de origem para a sala de julgamento de Osíris. O corpo, como parte integrante

À esquerda, a cobra alada de quatro patas que representa a morte.

da personalidade do falecido, tinha que ser preservado para que o indivíduo permanecesse completo. Por essa razão, os egípcios desenvolveram a mumificação, reencenando o procedimento conduzido por Anúbis sobre o deus Osíris morto. Além da prática física da mumificação, a putrefação era repelida pela magia, seu caráter destrutivo personificado como "aquela matadora [...] que mata o corpo, que apodrece o escondido, que destrói uma multidão de cadáveres, que vive matando os vivos". A propósito, há apenas uma representação conhecida da morte personificada no *Papiro de Henuttawy* (BM 10018), "Morte, o grande deus, que fez deuses e homens", mostrada como uma cobra alada de quatro patas, com a cabeça de um homem e uma cauda terminando na cabeça de um chacal.

Ao preservar o corpo, os egípcios garantiam que seus elementos espirituais tivessem um receptáculo para o qual retornar – um lugar para se recarregar e renovar. As estátuas inscritas com o nome do falecido serviam a um propósito semelhante, agindo como *backup* no caso de o corpo ficar irreconhecível ou destruído. O coração permanecia no corpo, único órgão interno a ser deixado no lugar, como era necessário no julgamento final: sem o seu coração, o falecido não tinha chance de se juntar às fileiras dos justos, os mortos abençoados.

Uma vez preservado, o corpo tinha que se tornar habitável para o *ba* novamente. Isso exigia uma cerimônia chamada "abertura da boca", que permitia ao falecido recuperar suas funções, permitindo-lhe comer e beber (apesar de estar morto). Esses rituais reconectavam os aspectos separados da pessoa e "reanimavam" o corpo, garantindo sua existência continuada. Ele agora podia receber oferendas de alimentos dos vivos – de parentes que vinham passar um tempo com os ancestrais em dias de festa ou mesmo de qualquer pessoa que estivesse vagando pela capela da tumba e fosse tentada a entrar. Se as oferendas físicas não pudessem ser trazidas, as inscrições da tumba, listando itens de comida e bebida, poderiam servir como um substituto viável, magicamente manifestando um verdadeiro banquete *post-mortem* por meio de sua existência nas paredes da tumba.

Uma cerimônia de "abertura da boca" para a múmia de Tutancâmon (à esquerda).

O *ba* era representado, tipicamente, como um pássaro com cabeça humana.

Agora o falecido não apenas podia comer e beber, mas também podia falar; isso era muito útil para o seu *ba*, que havia sido lançado ao Duat após a morte em uma jornada para o seu julgamento. Ele tinha que recitar encantamentos mágicos e anunciar os nomes dos habitantes perigosos do Duat para, então, adquirir poder sobre eles. A repetição do nome do falecido pelos vivos também aumentava sua chance de sobrevivência. É por isso que, nas inscrições da tumba, o nome é encontrado repetidamente. Uma inscrição do nome poderia cair com algum gesso solto e estilhaçar no chão, mas não centenas deles. Havia uma medida de segurança nos números.

◀ ENTRANDO NO DUAT ▶

Eu chego na Ilha dos Moradores do Horizonte, eu saio do portão sagrado. O que é? É o Campo de Juncos, que produz as provisões para os deuses que estão ao redor do santuário. Quanto àquele portão sagrado, é o portão dos Sustentáculos de Shu. Caso contrário, está dito: É o portão do Duat. Está dito: É a porta pela qual meu pai Atum atravessou quando prosseguiu para o horizonte oriental do céu.

(LIVRO DOS MORTOS, ENCANTAMENTO 17)

Um habitante do Duat perigosamente armado.

Deuses para os mortos

Anúbis

A principal responsabilidade de Anúbis entre os deuses era guardar a necrópole e supervisionar o embalsamamento do falecido – papel que ele desempenhou pela primeira vez para Osíris. Ele também trazia os mortos perante Osíris para o julgamento. Diz-se, constantemente, que sua companheira é Input, mas sua linhagem difere dependendo da fonte; ele é citado como filho de Osíris e Néftis, ou de Bastet, ou mesmo de Seth. Algumas fontes citam Qebehut como filha de Anúbis, com a "irmã do rei". Uma cobra celestial, Qebehut ("Ela das águas frias"), ajudou na ressurreição do falecido e derramou água dos quatro jarros *nemset* para purificar o coração.

Tait

Tait era uma deusa da tecelagem, que fornecia as bandagens para envolver a múmia e também tecia a cortina da tenda da purificação. Nos *Textos das pirâmides*, ela veste o rei, guarda sua cabeça e reúne seus ossos. O morto, muitas vezes, deseja usar roupas tecidas por Tait, talvez para uma espécie de tanga.

Os quatro filhos de Hórus

Embora referidos como filhos do deus Hórus, esses quatro deuses – Duamutef, Qebehsenuef, Imsety e Hapy – também eram os *baw* do deus. Eles protegiam os órgãos internos do falecido, que eram colocados em jarros canopos individuais e armazenados ao lado da múmia em uma arca canópica.

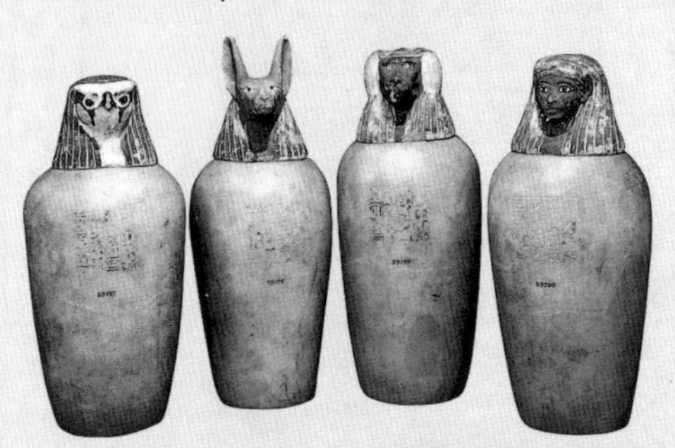

Os quatro filhos de Hórus protegiam as vísceras do morto, que eram armazenadas nos jarros canopos.

Você fecha os olhos e dá o último suspiro. O mundo desce na escuridão. Seu coração para de bater. Você abre os olhos e não está mais deitado na cama, cercado por entes queridos chorando, mas sim em um vasto deserto diante de um grande portal. Você está, agora, no Duat, uma palavra frequentemente traduzida como "Mundo dos Mortos", mas que, na realidade, se referia a um lugar que fazia parte do mundo criado tanto quanto qualquer lugar que você pudesse visitar quando vivo, mas que era simplesmente fora do alcance dos vivos. Ao consultar o *Livro dos mortos*, enterrado com você na tumba durante o seu funeral e, agora, magicamente acessível, você sabe que esse é o início de uma aventura repleta de desafios, que pode, muito provavelmente, terminar com a sua segunda morte – a obliteração da sua existência. Para os egípcios, a morte física não era uma morte verdadeira, apenas uma mudança de circunstâncias; a verdadeira morte ocorria no Duat, pelas mãos de demônios ou ordenada por Osíris para aqueles que viveram uma vida injusta.

Apesar da ansiedade que a ideia desse encontro com o Grande Deus poderia criar, isso ainda estava muito longe. Em primeiro lugar, os muitos desafios do Duat tinham que ser superados antes mesmo que você pudesse se aproximar da sala do julgamento de Osíris. E o próprio Duat não era um lugar para ficar. Era um lugar miserável, como relata o *Livro dos mortos*: um deserto, sem água nem ar, profundo, escuro e insondável, onde não havia amor. Atravessar o Duat poderia não ser particularmente agradável – certamente, seria uma experiência brutal e angustiante –, mas ficar parado tampouco era uma boa opção. Somente enfrentando suas provações você poderia chegar ao tribunal e, tendo sido avaliado pelos deuses, poderia ser aceito como um dos mortos transfigurados, gloriosos, que apareciam como divindades e eram autorizados a circular livremente por todo o mundo criado. Como você escolhia passar a eternidade dependia inteiramente de você.

Então você recém chegou ao Portão Sagrado na Ilha dos Moradores do Horizonte, o início de sua longa e perigosa jornada. Olhando para o Leste para se orientar, percebe que o céu está no topo de uma montanha. O *Livro dos mortos* (guia de viagem para a vida após a morte!) diz que essa é a montanha de Bakhu. De acordo com o texto, a montanha tem 300 varas[24] de comprimento e 150 de largura, e Sobek, Senhor de Bakhu, mora no lado leste, onde habita um templo feito de cornalina. No topo, vive uma cobra chamada "Aquela que está queimando", com 30 côvados de comprimento; seus primeiros 8 côvados são feitos de sílex e seus dentes brilham. Na verdade, essa cobra tem um brilho tão poderoso que pode parar a barca sagrada do deus do sol e engolir até 7 côvados das águas sagradas. Felizmente, nessas ocasiões, o livro o tranquiliza: Seth arremessa uma lança de ferro na cobra, fazendo-a vomitar tudo o que engoliu. Seth, então, coloca a cobra diante dele e diz: "Volte para a faca afiada que está em minha mão! Estou diante de você, navegando corretamente e vendo ao longe".

Dada a descrição do livro, você olha para o topo da montanha e decide que é melhor manter distância. Mas para onde ir agora? O *Livro dos mortos* fornece algumas das respostas, citando habitantes importantes e características geográficas, embora nunca apresente um mapa verdadeiro. Em vez disso, apresenta apenas a relação dos diferentes locais uns com os outros, ou o tempo gasto para viajar entre eles.

◄ MAGIA NO DUAT ►

Assim como em vida, você também é auxiliado pela magia no Duat. Os encantamentos do livro permitem que você assimile características dos deuses, que lhe fornecem autoridade divina, e, portanto, você adquire a capacidade de repelir inimigos, impedir de ser contido, lutar contra a putrefação e, até mesmo, se salvar da decapitação. Para garantir que você esteja abastecido por completo com habilidades mágicas, o barqueiro dos mortos é enviado assim que você chega para navegar rio acima até a Ilha do Fogo, a fim de coletar a magia onde quer que ela esteja, tudo para que você possa utilizá-la.

---

24. Vara é uma antiga medida de comprimento utilizada por diversas sociedades antigas: 1 vara equivale a 100 cúbitos no Egito Antigo [N.T.].

Um mapa do Duat: *O livro dos dois caminhos*

O livro dos dois caminhos, pintado no interior de um caixão.

Embora não esteja incluído no *Livro dos mortos*, os mapas do Duat surgiram durante o Reino Médio. Eles foram pintados no interior dos caixões e faziam parte de uma composição chamada *O livro dos dois caminhos.*

Ele descreve o deus do sol viajando de Leste a Oeste por um canal azul e, em seguida, sua passagem por um caminho escuro através do céu exterior de Oeste para Leste. Ambos os caminhos foram separados pelo "Lago de Fogo dos Manejadores de Facas", que é vermelho. O mapa indica a localização de alguns locais, como a Mansão de Toth no Lugar de Maat, uma mansão de Osíris, estruturas e paredes altas de pederneira ou chamas; hidrovias; e santuários. Alguns lugares deveriam ser visitados; outros, evitados.

Por toda parte, a terra estava povoada por demônios empunhando facas que tentavam bloquear o progresso do morto. Esses demônios tinham nomes assustadores, incluindo "Cara de cachorro, cuja forma é grande [...]", "Aquele que é quente"; "O de face longa que afasta os agressores..." e "Aquele que engole; aquele que está alerta". Em *O livro dos dois caminhos*, o falecido faz uso da magia para passar por esses demônios e chegar a Rostau, "a necrópole", um lugar "na fronteira do céu", onde o cadáver de Osíris está "preso na escuridão e cercado por fogo". Lá, ele encontra um salão dividido por três paredes de fogo, e passa por elas para alcançar os caminhos da confusão. O morto, então, viaja com Toth e se identifica com Rê, navegando em seu barco. Depois de passar por (normalmente) sete portões, ele chega a Osíris e lhe oferece o "olho de Hórus". O morto, agora identificado com Toth, então passa a eternidade assistindo Rê proferir um discurso sobre seus feitos poderosos.

Como achar seu caminho

A princípio, pode parecer suficiente saber os nomes e as descrições dos demônios e as localizações no Duat para conseguir avançar na jornada, especialmente porque os próprios deuses e os espíritos devem preparar um caminho para você em meio ao terreno perigoso. Com esse conhecimento, esteja certo de que alcançará Osíris.

Conhecer os nomes das armadilhas também é útil. Os Encantamentos 153a e b do *Livro dos mortos* apresentam uma ilustração de uma rede gigante esticada entre o céu e a terra por pescadores, que também são "deuses da terra, os antepassados dos Engolidores". Nessa rede, eles esperam pegá-lo durante suas tentativas de impedir aqueles que não são adequados para entrar na próxima vida. Ao recitar o encantamento, você anuncia que não será pego como os inertes ou errantes: tem poder sobre a rede, porque conhece as suas partes e também o seu nome: "A que abraça o todo".

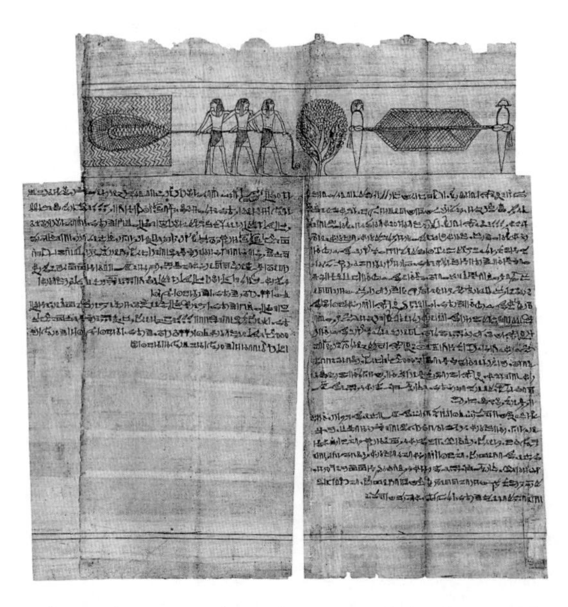

Duas redes para se evitar no Duat: numa piscina (à esquerda) e estendida entre duas estacas (à direita).

***Self-service* no Duatt**

No Encantamento 189, depois de declarar repetidas vezes o que vai comer no Duat (principalmente quatro pães da casa de Hórus e três da casa de Toth, e, definitivamente, não fezes ou urina) e, em especial, onde ("sob aquele sicômoro de Hathor" ou "sob os galhos da árvore *djebatnefret*"), o falecido, enfim, é questionado por "Aquele que não pode contar": "Você viverá dos bens de outra pessoa todos os dias?" Ao que ele responde que, além dos suprimentos já mencionados e fornecidos divinamente, ele vai arar as terras no Campo de Juncos, refutando, de forma rápida, a insinuação velada do demônio de que ele é um aproveitador na vida após a morte. Esses campos, relata o falecido, são guardados pelos filhos gêmeos do rei do Baixo Egito e arados pelo "maior dos deuses do céu e dos deuses da terra".

O que comer e beber

Certos encantamentos também garantirão que você não precise comer fezes, beber urina ou andar com a cabeça para baixo enquanto estiver no Duat. Eles podem fornecer pão e outros alimentos dos quais os deuses vivem. Pão de trigo branco ou pão de Geb e cerveja de cevada vermelha de Hapi do Lugar Puro compõem o cardápio preferido no Duat, para ser comido sob os galhos da árvore de Hathor. As barcas diurna e noturna do deus do sol também distribuem pão e cerveja, embora, se tudo o mais falhar, sete vacas e seus touros fornecerão porções diárias de pão e cerveja.

◄ LOCAIS DE INTERESSE ►

Dando uma olhada no conteúdo do *Livro dos mortos*, você percebe que as principais características do Duat são os portões, os montes e as cavernas, e, então, você começa a tentar memorizar a aparência desses lugares e os seus ocupantes. A geografia do Duat é bastante confusa para os recém-falecidos. Olhando para o primeiro

O Lago de Fogo circundado por babuínos.

encantamento do livro, você pode ficar preocupado com as cobras de Rostau, por exemplo, que vivem da carne de homens e engolem seu sangue. Felizmente, o encantamento ajuda a afastar essas cobras. Em relação a Rostau, você, rapidamente, descobre que seu portão sul está em Naref e seu portão norte está no Monte de Osíris. O Encantamento 17 acrescenta que há um Lago de Fogo entre Naref e a Casa da Comitiva. O Lago de Fogo queima os pecadores e purifica os justos, e é uma característica da geografia egípcia da vida após a morte desde o Reino Antigo. Sua localização, entretanto, muda com o tempo. No Reino Novo, o Lago de Fogo é tipicamente representado como uma piscina quadrada ou retangular de água, com um babuíno de cada lado, cada um acompanhado pelo símbolo hieroglífico do fogo. Em *O livro dos dois caminhos* ele pode ser acessado por dois portões: o Portão das Trevas e o Portão do Fogo.

Os portões do Duat

A característica mais importante da paisagem do Duat são, provavelmente, os seus portões, uma vez que deve-se passar por eles para chegar a Osíris. A paisagem do Duat consiste em uma série de subdivisões, como uma cidade dividida em setores, cada um acessível apenas por um portão – ou como um palácio ou templo, em que, quanto mais se passa ao longo de seu eixo, mais restrito o acesso se torna.

Os portões do Duat, às vezes, são descritos como estruturas muito elaboradas, decoradas com os sinais de *ankh* e *djed* e exibindo frisos *khekher* (fileiras de juncos verticais, usados para decorar a parte superior das paredes) e cornija cavetto (um tipo de moldura curva para fora no topo das paredes). O número de portas difere dependendo do encantamento. De acordo com os Encantamentos 144 e 147, existem sete portões antes que Osíris seja alcançado, cada um com um guardião, um guarda e um relator – todos demônios temíveis armados com facas, ou com espigas de milho, um pouco menos aterrorizantes. Alguns são mumiformes e com cabeça de animal, outros são puramente animais. Chegando ao primeiro portão do Duat, você se depara com um guardião chamado "Aquele

Guardiões com cabeça de animais protegendo os portões do Duat.

cujo rosto está invertido, o multiforme". Ao lado dele, você avista o guarda, chamado "Bisbilhoteiro", enquanto o relator é apropriadamente chamado de "O de voz alta". Após você ter pesquisado o nome de cada demônio no *Livro dos mortos* e falado em voz alta, o porteiro declara que você é digno de passagem, permitindo que siga para a próxima divisão do Duat e os outros obstáculos seguintes. Se algum dos guardiões parecer menos do que impressionado com você, o Encantamento 144 fornece um longo discurso, com o objetivo de convencê-los de seu valor; exorta-o a salientar, entre outras coisas, que você nasceu em Rostau; que lidera os deuses no horizonte na comitiva sobre Osíris; que é um mestre dos espíritos; e que carrega o olho de Hórus. Depois, se isso ainda não funcionar, você pode seguir a sugestão do encantamento de dizer ao guardião que seu nome é mais poderoso do que o dele, e que você é aquele que "eleva a verdade a Rê e destrói o poder de Apófis": "Eu sou aquele que abre o firmamento, o que afasta a tempestade, que dá vida à tripulação de Rê e que ergue oferendas para o lugar onde eles estão".

Por outro lado, se você usar o Encantamento 146, há muito mais portões para atravessar: na "Casa de Osíris no Campo de Juncos", 21, cada um guarnecido por dois demônios, uma guardiã e um porteiro. A primeira é a "Senhora do tremor; a de nobres fortificações; soberana; senhora da destruição; aquela que prediz coisas, a que repele tempestades e a que resgata os que foram roubados dentre os que vêm de longe" – bastante difícil de pronunciar quando confrontado por uma criatura demoníaca aterrorizante (e armada)! O porteiro, por outro lado, é sucintamente chamado de "Terrível", o que é um pouco mais fácil de dizer num momento de estresse. Entre as outras deusas do portão encontra-se o oitavo guardião, chamado de "O que é quente nas chamas, destruidor de calor, o de lâmina afiada, o de mão veloz, o que mata sem aviso, a quem ninguém passa por medo de sua dor". Seu porteiro é chamado de "Aquele que protege a si mesmo" – o que não é surpreendente, dada a natureza violenta de sua deusa do portão.

Por que tantos números diferentes de portões?
No *Livro dos mortos*, encontramos dois números diferentes de portões: 7 ou 21. Para tornar a questão mais confusa, no *Livro dos portões*, um dos livros da vida após a morte esculpido nas paredes dos túmulos reais do Reino Novo, há 12 portões, um para cada hora da noite, com cada um deles, mais uma vez, guardado por um demônio. Essas inconsistências são resultado da relutância dos antigos egípcios em descartar uma ideia antiga – por que remover um encantamento potencialmente correto quando você pode apenas citar todas as alternativas?

Os montes

Ao vaguear pelo Duat, uma das características da paisagem que pode chamar a atenção são os inúmeros montes. Dos catorze montes mencionados no Encantamento 149, onze são verdes e três são amarelos. O primeiro monte é verde. Lá, os homens vivem de pães *shen* e jarras de cerveja. O deus Rê-Horakhty mora no segundo monte (que também é verde). O terceiro monte (novamente verde) é mais sinistro: esse é o monte dos espíritos, sobre o qual ninguém viaja, "ele contém espíritos, e sua chama é eficaz para queimar". O quarto monte é (você adivinhou) verde e tem montanhas gêmeas muito altas; tem 300 varas de comprimento e 150 de largura. Uma cobra de 70 côvados de comprimento, conhecida como "Lançadora de facas", vive lá, decapita e come as cabeças dos espíritos para sobreviver. O quinto monte (verde) é um Monte de Espíritos, pelo qual os homens não passam, "os espíritos que estão nele estão a 7 côvados de suas nádegas e vivem nas sombras dos inertes". O sexto monte (verde) é uma "caverna sagrada para os deuses, secreta e dos espíritos, inacessível aos mortos" e parece ser habitada por uma criatura parecida com uma enguia. O deus que mora lá é "Caçador do peixe *adju*". Se você escalar esse monte, deve visitar os deuses de lá, preparar bolos para eles e usar sua magia para impedir que o Caçador do peixe *adju* tenha poder sobre você.

O sétimo monte (verde) é a Montanha da serpente-*rerek*. Esse animal tem 7 côvados de comprimento e vive de espíritos. É uma besta formidável, e você deve ter medo do seu veneno e da sua mordida. O livro sugere que você invoque o violento deus Mafdet (cf. p. 154) para cortar sua cabeça. Um deus chamado "O grande de Hahotep" mora no oitavo monte (verde) e o protege para que ninguém se aproxime. O nono monte é amarelo (surpresa!) e é chamado de "Cidade-Ikesy e o olho que captura". Diz-se que essa cidade está "escondida dos deuses, dos quais os espíritos têm medo de aprender o seu nome, do qual ninguém entra ou sai, exceto aquele deus augusto que está em seu ovo (o deus criador, provavelmente Atum-Rê), que projeta seu medo nos deuses e nos espíritos: abre-se com fogo, e seu sopro é a destruição para narizes e bocas". O décimo monte é chamado de "Platô" e é amarelo. Apesar do nome despretensioso, é um lugar assustador, onde deve-se ordenar aos habitantes que se deitem de bruços até que você passe, para que eles não possam tomar seu espírito ou sua sombra. O décimo primeiro monte é verde e cheio de segredos, os quais são tão secretos que os espíritos não vêm ou vão até ele com medo de revelar o que veem. O décimo segundo monte (verde) é conhecido como "Monte de Wenet, que fica na frente de Rostau". Os deuses e os espíritos não podem se aproximar desse monte, e quatro cobras moram lá, cada uma chamada de "Destruição". O décimo terceiro monte é verde e se chama "Aquele que abre a boca, uma bacia de água". Ninguém tem poder sobre esse monte. Sua água é fogo, de modo que ninguém pode beber dela, e seu rio está cheio de papiros. O (último!) décimo quarto monte, chamado "Monte de Kheraha", é amarelo. Desvia o Nilo e o faz vir carregado de cevada. A cobra que lhe pertence está na caverna de Elefantina, na nascente do Nilo.

As cavernas

Viajando pelo Duat, você também encontrará 12 cavernas, cada uma habitada por várias divindades surpreendentemente úteis. Os deuses da oitava caverna têm formas misteriosas e respiram ar. Entre eles, há os que seguem Osíris e que garantem que você esteja em repouso

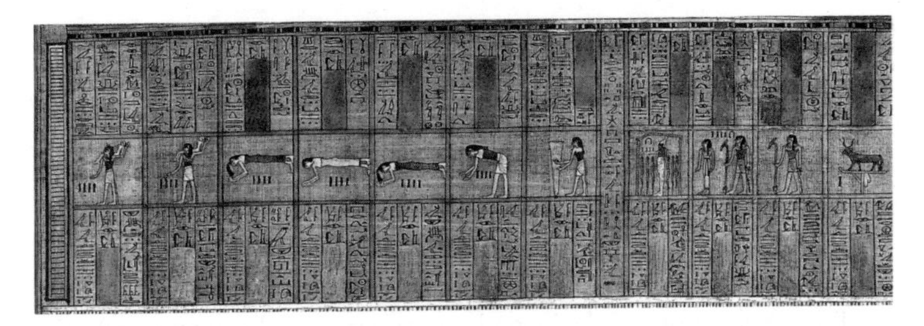

As cavernas do Duat e seus habitantes.

em sua múmia; também "Aquele que se levanta", que permite que você adore Rê quando ele se levanta; e "Aquele que está escondido, que o torna forte no salão de Geb", entre muitos outros. Sherem, por exemplo, impede que o mal se aproxime de você no Duat. Diz-se que os deuses da décima caverna clamam em voz alta e possuem mistérios sagrados. Aqui, aqueles que pertencem ao sol te iluminam. Nas outras cavernas, o deus Iqeh garante que você esteja na presença de Rê, e que você cruze o céu para sempre com ele. Iqen afasta todo o mal; o Destruidor limpa a sua visão, para que você possa ver o deus do sol; e "Aquela cuja cabeça é vermelha" garante que você tenha poder sobre as águas.

◄ ANDANDO POR AÍ ►

O *Livro dos mortos* faz poucas menções sobre como se deve atravessar o Duat. Ao que parece, você deve empreender sua jornada a pé ou de barco pelo rio. No entanto, se você se cansar de caminhar ou sofrer de enjoo, poderá se transformar, magicamente, em uma variedade de formas: o Encantamento 13 permite que você se torne um falcão ou uma fênix; o Encantamento 77 o transforma em um falcão de ouro, com 4 côvados de comprimento e asas formadas por uma pedra verde; o Encantamento 79 permite que você se torne um ancião do tribunal; os Encantamentos 81a e b permitem que você se transforme em um lótus; o Encantamento 83 transforma você em uma fênix; o Encantamento 84, em uma garça; o Encantamento 85, em uma alma vivente, que não entrará no local de execução; o Encantamento 86, em uma andorinha; o Encantamento 87, em uma cobra; e o Encantamento 88, em um crocodilo. Você pode até assumir a forma de deuses, como Atum ou Ptah. Finalmente, apenas para cobrir todas as possibilidades, o Encantamento 76 permite que você se transforme em qualquer coisa que desejar.

Em vários pontos da jornada, entretanto, o barqueiro celestial complica seus planos de viagem. Ao encontrá-lo (seu nome é Mahaf), o livro diz que você deve pedir a ele que vá e acorde Aqen, que está no comando da balsa. Mas, antes disso, Mahaf começa a inventar desculpas para explicar por que o barco não é navegável. Peça-lhe para trazer a "barca construída de Khnum do Lago dos Pés", e Mahaf dirá que ela está em pedaços e armazenada no estaleiro. Quando Mahaf aponta que "ela não tem tábuas, não tem proa, não tem popa[25], não tem remos", você deve lembrá-lo de que "suas tábuas são as gotas de umidade que estão sobre os lábios de Babi; sua popa é o cabelo que está sob a cauda de Seth; sua proa é o suor que está nas costelas de Babi; seus remos são as mãos da contraparte feminina de Hórus. Ela foi construída pelo olho de Hórus, que deve guiá-la para mim".

De acordo com o livro, Mahaf, então, ficará preocupado com quem guardará seu barco, ao qual você deve sugerir o animal *senemty* (não identificado). Depois, Mahaf argumentará que venta muito e o barco não tem mastro. Você deve responder dizendo a ele para trazer o falo de Babi, pois isso fará o trabalho admiravelmente. Após algum tempo, Mahaf cederá e partirá para buscar Aqen ("O que é?", Aqen dirá. "Eu estava dormindo."). Aqen, longe de ser seu sensato salvador, apresentará seus próprios problemas, sendo um deles a falta de um fiador, deixando você sugerir uma solução como de costume. Mesmo quando o barco finalmente chegar, seus problemas ainda não terão terminado – antes que você possa navegar, cada componente do barco exigirá ser nomeado.

---

25. A proa corresponde à parte dianteira do navio, e a popa, à parte traseira da embarcação [N.T.].

◄ OS HABITANTES LOCAIS (OU OS HABITANTES DO DUAT) ►

Na morte, você tem que lidar não apenas com a geografia desconhecida do Duat e com demônios estranhos dos portões, mas também com a população em geral, que é assustadora. Conforme você percorrer os caminhos do Duat, os seus passos por meio da escuridão serão iluminados pela magia, e você poderá encontrar criaturas andando com a cabeça para trás, os olhos nos joelhos, que são demônios conhecidos por decepar cabeças. Inimigos rebeldes também são uma fonte de perigo, então, além da roupa, das sandálias, do cajado e da tanga, o *Livro dos mortos* o incentiva a levar todas as suas armas para cortar pescoços. Basicamente, qualquer criatura que você encontrar pode ser potencialmente hostil, mas, sabendo o nome do demônio, você ganha controle sobre ele, transformando-o de uma ameaça em um protetor. Dessa forma, deuses com nomes como "Aquele que queima os rebeldes", "Aquele que leva corações para comer", "Aquele que dança em sangue" e "Aquele que retalha humanos mortos" tornam-se um pouco menos intimidantes.

Demônios com formas animais também têm o poder de interferir e precisam ser combatidos com encantamentos, com o apoio de uma grande faca ou uma lança. Crocodilos, em particular, podem roubar suas habilidades mágicas; então, se você ficar cercado por um grupo de oito crocodilos liderados por aquele que vive nas Estrelas Incansáveis, deve lutar contra eles com sua lança. Como de costume, ao se deparar com uma ameaça, saber o nome do inimigo é uma vantagem. "Voltem! Retirem-se! Para trás, ó, perigoso!" O Encantamento 31 relata o encontro com um crocodilo: "Não venha contra mim, não viva pela minha magia; que eu não tenha que dizer esse seu nome ao Grande Deus que o enviou; 'Mensageiro' é o nome de um e Bedty é o nome do outro". Existem, também, serpentes malignas, incluindo a serpente-*rerek*, a quem você diz: "Ó, serpente-*rerek*, saia daqui, pois Geb me protege; levante-se, pois você comeu um rato, que Rê detesta, e mastigou os ossos de um gato pútrido".

O deus Babi

Mencionado como aquele "com orelha vermelha e ânus roxo", Babi era um babuíno agressivo, que vivia de entranhas humanas e até roubava oferendas da obscuramente chamada "deusa da liteira". Ele, às vezes, é associado a Seth e pode usar seus poderes para afastar serpentes e outras criaturas perigosas. Seu falo servia como o ferrolho da porta do céu, permitindo que fosse aberto e fechado, e também como o mastro da balsa do Duat. Embora ele não tivesse um culto formal, as associações fálicas de Babi, junto à sua virilidade divina, o levaram a ser invocado em encantamento para a proteção e a cura do pênis. Já conhecemos Babi como "filho mais velho de Osíris" (cap. 3) e como o deus que ofendeu profundamente o Senhor Universal em "As contendas de Hórus e Seth" (recontada no cap. 4).

Uma serpente morde um asno e é mencionada como "Aquela que engoliu um asno". Em outras ocasiões, você deve lutar contra Apófis, assumindo a identidade de Rê para fazê-lo. Você também pode ser incomodado pelo besouro *apshai* durante sua jornada, mas o encantamento para repeli-lo é: "Vá embora de mim, ó, lábios tortos! Eu sou Khnum, Senhor de Peshnu, que envia as palavras dos deuses para Rê, e relato os casos a seu mestre".

Existem, também, demônios da vida após a morte que tentam afastá-lo de seu comportamento de *maat*, em vez de apenas tentar matá-lo (de novo). Um desses seres para manter-se atento é o responsável pelos mortos hostis, Gebga, normalmente descrito como um corvo negro. Ele vive de excremento e o tenta a comer excremento também, explicando que é o excremento de Hórus e Seth (e, portanto, provavelmente não é tão horrível). Essa tentação é um tema comum. Em certo ponto dos *Textos dos caixões*, o falecido é tentado a comer fezes das nádegas de Osíris. Isso reflete um mundo de cabeça para baixo – um aspecto comum no Duat – mas que você deve rejeitar.

Você também pode encontrar o demônio Iaau – uma manifestação do mundo dos vivos invertida. Ele vive de fezes, bebe urina,

O Duat não é um local para se entrar desarmado. Aqui, Nakht luta contra o irritante besouro apshai com uma faca; depois, contra três crocodilos; e, posteriormente, contra uma serpente, chamada "Aquela que engoliu um asno".

tem uma língua entre as pernas e um falo na boca. Diz-se que Iaau esteve na barriga do criador antes que a existência surgisse. Ele acabou sendo expulso como excremento e se tornou a encarnação do negativo.

Shezmu

Shezmu era uma divindade para se ter como amiga, em vez de fazê-la inimiga. Como deus das prensas de vinho e óleo, você poderia esperar que ele fosse uma presença jovial no Duat, e talvez até fosse, mas Shezmu também utiliza suas prensas para usos mais sangrentos, apertando as cabeças dos condenados. Ele também abate e cozinha deuses para que o rei possa comer seus corpos e absorver sua força. Por outro lado, é o fornecedor de perfume aos deuses.

◂ 8 ▸

SEU JULGAMENTO E SUA VIDA COMO UM *AKH*

Tendo navegado o caminho pelas provas do Duat, você, agora, chega ao destino final – o Salão do Julgamento de Osíris, chamado de Salão da Dupla Justiça. Depois de ser questionado, e após cada portal do corredor exigir que você o nomeie (por exemplo, os batentes da porta o deterão para dizer: "Não permitiremos que você passe por nós, a menos que diga o nosso nome". E você poderá responder: "'Prumo de Toth' é o seu nome"), a porta pergunta a qual deus você deve ser anunciado.

"Diga ao Intérprete das Duas Terras", você deve responder.

"Quem é o Intérprete das Duas Terras?"

"É Toth."

Talvez, ouvindo seu próprio nome, Toth, então, se aproxime para questioná-lo ainda mais.

"Agora", diz Toth, "por que você veio?"

"Eu vim aqui para relatar", você responde.

"Qual é a sua condição?"

"Estou livre de todos os delitos, evitei a contenda daqueles em seu dia, eu não sou um deles."

"Para quem devo anunciá-lo?"

"Para aquele cujo telhado é de fogo, cujas paredes são cobras vivas, cujo chão da casa está inundado."

"Quem é ele?"

"É Osíris."

"Prossiga, você foi anunciado. O olho é o seu pão, o olho é a sua cerveja, o olho é a sua oferenda na terra."

◄ O JULGAMENTO DE OSÍRIS E O CONSELHO DOS 42 ►

Todo o deus que você serviu na terra, você [agora] verá frente a frente.

(CANÇÃO DE HARPER, DA TUMBA DE NEFERHOTEP)

A hora do julgamento chegou. Vestido com roupas brancas e sandálias, ungido com mirra e adornado com tinta preta nos olhos, você é escoltado até o Salão da Dupla Justiça por Anúbis e, rapidamente, percebe que o local está organizado como uma capela: seu telhado é sustentado por colunas, a parte superior tem paredes decoradas com penas de *maat* e cobras vivas e erguidas. Quarenta e dois deuses mumiformes empunhando facas, agachados e perfilados em cada lado do salão, humanos, crocodilos, cobras e rostos de leão olhando fixamente para a frente, cada um com uma pena de *maat* sobre sua peruca, enquanto, no centro do salão, outras divindades mais ilustres observam formalmente a sua chegada. Instantaneamente reconhecível graças à cabeça de íbis, Toth está mais perto de você, com a paleta de escriba na mão, pronto para registrar os resultados do seu teste. Mais adiante, Osíris, de pele verde e envolto em linho, segurando o cajado e o mangual, senta-se entronizado sob um dossel com degraus, observando silenciosamente os procedimentos. As irmãs Ísis e Néftis estão atrás dele. Estar na presença de forças tão

Osíris (na extrema-esquerda) supervisiona a pesagem do coração do morto (em adoração, na extrema-direita).

Ammit (à direita) espera pacientemente pelo registro de Toth a respeito do destino do morto.

poderosas, por si só, é o suficiente para abalar os nervos, mas é a temível criatura Ammit que faz suas mãos e suas pernas tremerem. Essa besta, com a cabeça de um crocodilo, o torso de um leopardo/leão e as partes traseiras de um hipopótamo – cada uma delas uma criatura formidável por conta própria –, agacha-se ao lado de uma balança, pronta para devorá-lo se seus atos pecaminosos na vida superarem a pena de *maat*. A boca de Ammit está aberta, os dentes estão à mostra. Ela parece com fome.

Osíris o encara, e você, primeiramente, declara a sua inocência a ele como Senhor da Verdade, dizendo, entre outras coisas, que não cometeu falsidade contra os homens, não privou um órfão de sua propriedade, não fez o que os deuses detestam e não matou ou ordenou que matassem. Com os braços levantados em adoração, você, então, se aproxima de cada um dos 42 deuses. Aqueles "que vivem daqueles que amam o mal e que engolem seu sangue" prosseguem anunciando o nome de cada um e declarando um pecado específico que você não tenha cometido. "Ó, Peregrino que veio de Heliópolis, não cometi falsidade", você diz ao primeiro deus da linhagem. "Ó, Abraçador de fogo que veio de Kheraha, não roubei", fala ao próximo. E assim por diante. Para Nosy de Hermópolis, você não foi ganancioso; aos Olhos de fogo de Letópolis, não cometeu desonestidade; para O quebrador de ossos de Heracleópolis, não

O escaravelho-coração com face humana de Sebekemsaf.

contou mentiras; ao Devorador de entranhas da Casa dos Trinta, não cometeu perjúrio. Dentre as 42 transgressões estão: balbuciar, ser taciturno, roubar pão, comportar-se mal, bisbilhotar, ser impaciente e falar alto, junto àquilo que soa mais grave, como matar um touro sagrado, blasfemar em sua cidade e conjurar magia contra o rei. Finalmente, apenas para que o assusto fique absolutamente claro, você declara a sua inocência mais uma vez, dirigindo-se a todos os deuses no corredor e, alegremente – talvez de forma excessiva –, lembrando-os de que você "engole a verdade".

Depois de ter apaziguado os 42 deuses, é hora de ficar diante de Osíris novamente. Anúbis monta a balança, e Toth, na forma de babuíno, agacha-se no topo do prumo (ou talvez ao lado dele). Sem dor, o coração deixa o corpo e flutua suavemente para a balança da esquerda. Para alguns, pode ser a hora de começar a se preocupar, mas, felizmente, sua mamãe estava bem-preparada para essa eventualidade. O Encantamento 30, inscrito em um escaravelho-coração, colocado sobre seu verdadeiro coração dentro do invólucro da múmia, o força, magicamente, a esconder todas as transgressões, deixando um registro imaculado para ser recitado diante de Osíris. "Não se levante como uma testemunha contra mim", diz o texto do encantamento, dirigindo-se ao coração, "não se oponha a mim no tribunal, não seja hostil a mim na presença do Guardião do Equilíbrio [...]." E, assim, com um sorriso confiante, você observa seu coração se equilibrar contra a pena de *maat*; sua vida após a morte está assegurada. Toth, agora com corpo humano e cabeça de íbis, mais uma vez, anota os resultados no rolo de papiro e se volta para a Grande Enéade, anunciando que julgou seu coração e que suas ações foram consideradas justas. Ele observa, particularmente, que você não levou as oferendas dos templos ou contou mentiras quando estava vivo. A Enéade, convicta, aceita o julgamento, e Hórus o leva mais uma vez a Osíris, dizendo-lhe que seu coração se mostrou verdadeiro, sem pecado cometido contra qualquer divindade. O deus Toth registrou o julgamento, a Enéade foi informada e a deusa Maat testemunhou os eventos. Pão e cerveja devem ser dados a você como recompensa, para que passe a eternidade como um seguidor de Hórus.

E, então, chega a sua vez de falar diretamente aos deuses:

> *Aqui estou eu em sua presença, ó, Senhor do Oeste. Não há feitos equivocados em meu corpo, não contei mentiras intencionalmente, não houve uma segunda culpa. Conceda-me o direito de ser como os bem-aventurados que estão em sua suíte, ó, Osíris, aquele enormemente favorecido pelo bom deus, o amado do Senhor das Duas Terras...*
> (LIVRO DOS MORTOS, ENCANTAMENTO 30B)

Os deuses, agora, o anunciam como "justo de voz", um seguidor de Osíris, e também, de forma bastante gentil, devolvem seu coração. O deus Atum, a própria criação física, amarra uma coroa de flores em torno de sua cabeça e, finalmente, exausto, mas jubiloso, você está livre para seguir o seu caminho, saindo por uma porta na extremidade do corredor, do lado oposto ao que você entrou.

◀ SENDO *AKH* – UM ESPÍRITO TRANSFIGURADO ▶

Bem-sucedido perante o tribunal, você, então, sai do Salão do Julgamento como um membro dos mortos abençoados. Seus espíritos *ba* e *ka* foram reunidos, e você foi declarado um *akh* (cf. quadro na p. 196). Reservado apenas para aqueles que passam no teste de julgamento, nem todos os mortos possuem o *status* de *akh*; aqueles que falharam em encontrar seu caminho pelo Duat – que falharam em combinar seus *ba* e *ka* e, portanto, permanecem eternamente não transfigurados – são classificados como *mut* ("mortos"), enquanto aqueles julgados indignos recebem uma segunda morte, obliterada da existência por meio dos dentes afiados e dos intestinos de Ammit, ou após um período de tortura no Duat, nas mãos dos "matadores de Osíris [...] de dedos afiados" no "local de matança" do deus.

Akhu e os inimigos

O objetivo de todo egípcio era se tornar um *akh*, em vez de "um inimigo". A palavra *akh* (no plural, *akhu*) é difícil de traduzir. Aparentemente, não designa uma nova evolução do ser, mas sim um *status* atribuído ao falecido. Considerado como uma pessoa que se tornou uma só com a luz, um *akh* existia em um estado glorificado, efetivo e transfigurado, e livre para viajar e morar em qualquer lugar que desejasse, seja com os deuses no céu ou no Duat, ou entre os viventes na terra.

Os inimigos da ordem existiram em todos os momentos como representantes do caos. Eles eram um grupo diferente daqueles julgados indignos de um estado abençoado. Esses inimigos recebiam punição constante, em vez de uma segunda morte, sendo forçados a comer seus próprios excrementos ou andar de cabeça para baixo. Os deuses beberam seu sangue, e sua carne foi cozida. Colocar inimigos em caldeirões parece ter sido uma punição típica no Duat; no *Livro das cavernas*, três conjuntos de caldeirões são descritos, cada um sustentado por braços emergindo do solo, chamados de "braços do Lugar de Aniquilação". O primeiro caldeirão continha cabeças e corações de inimigos; o segundo, os próprios inimigos decapitados de cabeça para baixo e amarrados; e o terceiro, a carne, espíritos *ba* e sombras dos inimigos de Rê e Osíris.

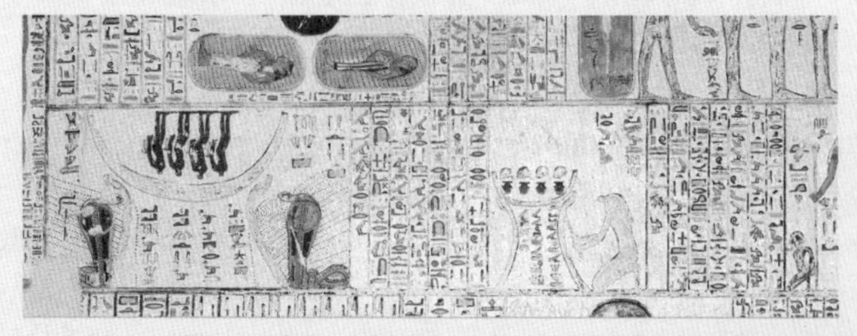

Dois caldeirões: corpos decapitados são cozidos à esquerda; corações e cabeças, à direita.

Nefertari joga o Senet, simbolicamente vencendo a morte, sua oponente invisível.

◄ E AGORA? ►

Então você passou no julgamento de Osíris, apaziguou os 42 deuses do tribunal divino e foi oficialmente declarado um *akh*. "E agora?", você pode se perguntar. Sendo livre para se mover sem nenhum obstáculo pelo mundo criado, muitas opções se apresentam, as quais não são mutuamente excludentes. De um lado, você poderia passar sua vida após a morte viajando com o deus do sol, navegando em seu barco pelo céu e lutando contra qualquer agressor por ele, enquanto também faz oferendas e se mistura com as estrelas incansáveis. Você poderia entrar na presença da Enéade e se tornar como um deles, ou tomar uma bebida tranquila à beira do Lago das Duas Facas antes de sair para observar o sagrado peixe *bulti* no riacho turquesa, assim como o peixe *adju*. Você também terá a oportunidade de ver Hórus segurando os estandartes de Toth e Maat.

Como um *akh*, você também pode decidir passar algum tempo no Reino de Osíris, jantando em sua mesa no "Belo Ocidente". E, ainda, pode deixar o Duat pela manhã e passar o tempo perto de sua tumba, jogando damas, para retornar ao Duat apenas à noite para descansar. Você também tem a opção de ingressar no tribunal dos deuses que julga a contenda entre Hórus e Seth. Não há uma indicação no *Livro dos mortos*, entretanto, de que você pode passar tempo com outros espíritos, nem mesmo com sua família e seus amigos (embora você possa visitar seus pais no Campo de Juncos – cf. a seguir). Seus únicos companheiros no Duat são os deuses, cujas características você assumiu na morte.

Vivendo entre os deuses, você, agora, aparece como uma divindade: sua parte superior do tronco é formada de lápis-lazúli, seu cabelo é preto-azeviche[26], com partes cobertas de lápis-lazúli. Seu rosto brilha como Rê porque é coberto de ouro, incrustado com lápis-lazúli. Você também usará uma vestimenta de linho fino e será adornado com ouro. Na morte, as partes individuais de seu corpo também ficam imbuídas de divindade e são associadas a vários deuses. Você se torna Osíris e Rê, e age como uma fonte de luz, elevando-se eternamente.

◄ O CAMPO DE JUNCOS E O CAMPO DE OFERENDAS ►

Talvez o lugar mais familiar que você poderia visitar na morte fosse o Campo de Juncos, descrito e ilustrado com alguns detalhes nos Encantamentos 109 e 110 do *Livro dos mortos*. Uma parte dele está reservada a você. Passando pelas grandes muralhas de ferro, que bloqueiam o acesso aos indignos, você chega ao Campo de Juncos de barco, parte de uma flotilha que inclui a própria barca solar do deus do sol. Após o desembarque, você avista as duas grandes árvores turquesa, entre as quais o sol nasce a cada dia, e vai prestar sua homenagem à Grande Enéade dos deuses, sentindo-se privilegiado por conhecê-los pessoalmente. Você, então, navega ao longo do rio em direção aos seus campos agrícolas, passando por montes e cursos d'água, incluindo "o curso d'água do hipopótamo branco". O *Livro dos mortos* informa que esse local tem "mil léguas de comprimento; sua amplitude não foi contada. Não há peixes nele; e não há cobras". Conforme você flutua ao longo do rio, também percebe o curso d'água conhecido como "Os chifres da senhora da purificação", que tem mil léguas de comprimento e largura.

26. O azeviche é um mineral de cor negra brilhante, sendo considerado uma variante do lignito. Foi utilizado para confeccionar joias [N.T.].

Atividades no Campo de Juncos.

Depois de algum tempo, você chega ao seu lote de terra. Já que não quer realizar nenhum trabalho sozinho, você usa sua magia para invocar seus *shabtis*, trabalhadores que executam toda e qualquer tarefa agrícola. As estatuetas de *shabtis* colocadas na tumba devem ser inscritas com o Encantamento 6 do *Livro dos mortos* para

Shabtis realizando tarefas para o morto no Duat.

garantir a lealdade e o trabalho deles na vida após a morte. Graças ao seu trabalho árduo plantando sementes, arando e colhendo na presença das "almas dos orientais", a cevada chega a ter 5 côvados de altura, e o trigo, 7 côvados. Você percebe que, nesse espaço sobrenatural, um lugar que estimula o crescimento, você, agora, tem 9 côvados de altura. Aqui, há uma abundância de todas as coisas boas, mas nenhuma das criaturas que o incomodaram na vida. Você pode arar, colher, comer, beber e copular, assim como fez na terra, embora seja melhor não gritar – aparentemente, isso é proibido. Tendo visto seus *shabtis* cuidarem dos campos, você, em seguida, passa pela garça da abundância, que lhe fornece todo o tipo de provisões, incluindo comida e bebida. Em movimento novamente, você navegará passando por outros montes e cidades, muitos com nomes incomuns, como a Cidade da Grande Deusa, o pântano, a Cidade das Ofertas Justas, a Cidade da Provisão, a Cidade da Deusa do Leite e a Cidade da União, antes de chegar ao Qenqenet, onde você presta homenagem a seus pais. Seu destino final é, novamente, a Grande Enéade, que nunca cansa em receber elogios.

Mas onde estava o Campo de Juncos?

Tal como acontece com muitos aspectos das crenças egípcias após a morte, as ideias mudaram ao longo dos milhares de anos de história. No início, o Campo de Juncos existia ao sul do Canal Sinuoso, ou seja, ao sul da eclíptica no céu, e servia como local de purificação antes que o falecido entrasse no céu. Seu equivalente era o Campo de Oferendas, localizado ao norte da eclíptica; esse é o lugar que o falecido realmente desejava visitar, remando de barco. Por volta do Reino Novo, o Campo de Juncos havia assumido as características do Campo de Oferendas e, agora, acreditava-se que sua existência era em algum lugar além do horizonte oriental. O Encantamento 110 do *Livro dos mortos* relata, ainda, que o Campo de Juncos estava dentro do Campo de Oferendas, mostrando o quanto esses dois locais, antes separados, tornaram-se emaranhados no Reino Novo.

◄ HISTÓRIAS DO DUAT ►

A ida de Setna ao Duat

Embora você precisasse ser uma divindade ou um morto, estritamente falando, para entrar no Duat, os que detinham os poderes da magia podiam quebrar as regras da natureza. Um desses indivíduos foi Si-Osire, filho de Setna e Meheweskhe, cujas aventuras são preservadas no *Papiro BM 604*, copiado durante o século I d.C. Um dia, enquanto Setna estava em sua casa, em Mênfis, se purificando em preparação para um festival, ouviu pessoas se lamentando do lado de fora. Olhando pela janela, viu o caixão de um homem rico sendo carregado pelas ruas em direção à necrópole. Então, olhando para baixo, viu o corpo de um pobre, envolto em uma esteira, sendo carregado para fora da cidade; houve silêncio total, e ninguém caminhou atrás dele. Setna voltou-se para Si-Osire e exclamou como o homem rico, graças à sua maravilhosa procissão funerária, deve ser muito mais feliz do que o homem pobre, que não tem nada. Porém, inesperadamente, Si-Osire respondeu que esperava que Setna recebesse no Ocidente o mesmo destino que o pobre homem. Setna estava compreensivelmente chocado e triste que seu próprio filho tivesse esperança de um destino tão terrível para ele. Então Si-Osire perguntou a seu pai se ele gostaria de ver o destino tanto do homem pobre quanto do homem rico no Ocidente. Setna ficou surpreso. "Como pode fazer isso?", questionou e, enquanto falava, ficou desorientado e não tinha ideia de onde estava.

Quando Setna se recuperou, ele estava parado no quarto corredor do Duat. À sua volta, as pessoas trançavam cordas, que, por sua vez, eram roídas por burros. Provisões de água e pão estavam suspensas acima de outras pessoas, e, quando estas pularam para agarrá-las, os homens cavaram fossos sob seus pés. Deixando esses homens sob seu tormento, Setna e Si-Osire entraram no quinto salão, onde espíritos nobres estavam em suas fileiras. Os acusados de violência estavam implorando em uma porta mais adiante, tendo seu pivô fixo no olho direito de um homem que estava gritando de dor. Setna e Si-Osire, em seguida, passaram para o sexto salão, onde os deuses do conselho dos habitantes do Ocidente estavam em fileiras, e os servos do Ocidente, em pé, prestavam-lhe contas.

No sétimo salão, Setna testemunhou a forma secreta de Osíris, sentado em um rico trono de ouro e usando a coroa *atef*. Anúbis ficava à sua esquerda, e Toth, à sua direita, enquanto os deuses do conselho de habitantes estavam ao seu lado. A pena de *maat* descansava em sua escala no centro da sala, medindo as faltas das pessoas em comparação com suas boas ações. Toth observou e anotou os resultados, enquanto Anúbis passava as informações para ele. Aqueles cujas más ações superaram as boas eram comidos por Ammit, e seus espíritos *ba* e seus cadáveres eram destruídos; esses indivíduos nunca mais respirariam. Por outro lado, aqueles que tiveram uma vida boa foram levados para o conselho do Senhor do Ocidente, e seus espíritos *ba* ascenderam ao céu com os espíritos justos. Aqueles cujas boas e más ações se equilibraram juntaram-se aos espíritos dos excelentes servindo Sokar-Osíris.

Enquanto examinavam o salão, observando as imagens e os sons ao redor, Setna avistou um homem envolto em linho real ao lado de

Osíris; ele era claramente de posição muito elevada. Setna deu um passo à frente para olhar mais de perto.

'Si-Osire disse a seu pai: "Você não vê? Esse homem rico que está envolto em uma vestimenta de linho real, perto de onde está Osíris? Ele é aquele pobre homem que você viu quando o estavam trazendo de Mênfis, sem ninguém andando atrás dele e que estava enrolado em uma esteira". Após a morte, Si-Osire continuou a explicar, o pobre homem foi levado para o Duat, onde foi julgado pelos deuses. Eles descobriram que suas boas ações eram mais numerosas do que as más e, então, transferiram o equipamento funerário do homem rico para ele. Como um espírito justo, ele, agora, serve a Sokar-Osíris e foi autorizado a ficar perto de Osíris.

O homem rico também foi levado ao Duat, disse Si-Osire, mas suas faltas foram mais numerosas do que suas boas ações. Foi ordenado que ele fosse punido no Ocidente. Assim, seu olho direito se tornou o pivô da porta do Ocidente e sua boca foi eternamente fechada em uivos torturados de dor. É por isso que Si-Osire esperava que o destino final de seu pai no Ocidente fosse igual ao do pobre homem. Ansioso para aprender mais, Setna perguntou ao seu filho sobre as outras pessoas que ele tinha visto nos corredores do Duat. Essas cordas de entrançar sendo roídas por burros são equivalentes àqueles que são amaldiçoados por deus na terra, Si-Osire respondeu; eles trabalham dia e noite para seu sustento, mas suas mulheres os roubam pelas costas, então eles não encontram pão para comer. O que quer que tenha acontecido com eles na terra, acontece-lhes no Ocidente. Os que tinham a água e o pão suspensos acima deles, sempre fora do alcance, equivalem às pessoas na terra cujas vidas estão diante de si, mas deus cava um buraco sob seus pés para impedi-las de descobrir.

Então Si-Osire disse: "Leve isso a sério, meu pai Setna, pois, com aquele que é benéfico na terra, eles são benéficos no Ocidente, enquanto, com aquele que é mau, eles são malignos. Isso está estabelecido [e não será alterado] nunca". Quando terminou de falar, Si-Osire e seu pai emergiram, de mãos dadas, na necrópole de Mênfis.

A jornada de Meryrê ao Duat

Embora fantasmas (e Si-Osire) pareçam não ter problema algum em dividir seu tempo entre a terra dos vivos e o Duat, deixar o Duat é imensamente difícil – senão impossível – para a maioria dos humanos. Um relato a respeito é encontrado no "Conto de Meryrê", ambientado no reinado do Rei Sisobek e preservado no *Papiro Vandier*, datado do final do século VI a.C. Meryrê é um mágico e um escriba habilidoso, tão hábil que os mágicos da corte do faraó mantêm sua existência em segredo do rei por medo de que todos percam seus empregos. Uma noite, porém, o faraó adoeceu; sua comida tinha gosto de argila e sua cerveja estava como água. Ele estava coberto de suor. Convocados à sua presença, os seus mágicos exclamaram de horror ao vê-lo e foram lembrados de uma ocasião no passado, quando o Rei Djedkare sofria do mesmo problema. Procurando em seus livros por qualquer informação, eles logo descobrem que Sisobek tem apenas sete dias de vida e que a única pessoa capaz de prolongar esse prazo é Meryrê. Pela primeira vez, os magos ciumentos são forçados a revelar a sua existência ao rei e percebem que isso lhes dá a oportunidade perfeita para se livrar de Meryrê para sempre.

Meryrê é convocado ao tribunal, e o faraó pergunta como sua vida pode ser prolongada. Sem dúvida pegando seu rei de surpresa, Meryrê começa a chorar, explicando, em meio às lágrimas, que, para prolongar a vida do faraó, ele, Meryrê, terá que oferecer a sua própria vida: aconteça o que acontecer, alguém terá que morrer. Relutante em se oferecer aos deuses como substituto de Sisobek, Meryrê leva algum tempo para se convencer antes de concordar em salvar seu rei. Na verdade, o faraó deve prometer-lhe honras póstumas e comprometer-se a manter seu nome vivo nos templos, antes que ele concorde. Meryrê também pede alguns favores em troca de seu sacrifício. Ele faz o faraó jurar na frente de Ptah que sua esposa será cuidada e que ele não permitirá que nenhum homem olhe para ela ou entre em sua casa. Sendo mais ameaçador, ele pede que os filhos dos mágicos invejosos, que informaram o faraó de sua existência com a certeza de que isso significaria sua morte, fossem mortos.

O faraó concorda com ambos os pedidos. Satisfeito, Meryrê volta para casa para fazer a barba e vestir um manto de linho fino a fim de se preparar para a jornada da vida após a morte. Enquanto isso, o faraó viaja para Heliópolis, com o objetivo de fazer oferendas aos deuses, garantindo, assim, a Meryrê uma viagem segura.

Segue-se uma longa pausa no texto.

Conforme a história é retomada, Meryrê está explicando ao faraó que ele se aproximará de Osíris e apresentará orações em seu nome. Claramente chegara a hora de Meryrê partir. Ele pede que o faraó fique longe – nem sequer pode olhar – e, sem mais delongas, entra no Duat. Pouco tempo depois de sua chegada, antes mesmo que pudesse se orientar, Meryrê é abordado pela deusa Hathor, que o cumprimenta calorosamente e pergunta o que ele deseja. "O prolongamento da vida para o faraó", ele responde, então ela o leva para Osíris. Ignorando todas as gentilezas, o Grande Deus questiona Meryrê, entre outras coisas, sobre a condição dos templos do Egito, e somente quando satisfeito que tudo estava bem entre os vivos ele concede ao faraó uma extensão de sua vida. Ao mesmo tempo, no entanto, nega a Meryrê o direito de retornar aos vivos, confinando-o ao Duat por toda a eternidade.

Embora Meryrê estivesse preso no Duat, Hathor, obviamente, não estava limitada por tais restrições e vai visitar os vivos para celebrar um de seus festivais. Após seu retorno, Meryrê, ansioso, pergunta a ela sobre tudo o que ela havia visto e se o faraó cumpriu suas promessas. Infelizmente, as notícias não são boas: o faraó fez da esposa de Meryrê sua própria Grande Esposa Real, tomou posse de sua casa e matou seu filho. Pego de surpresa, Meryrê começa a chorar e pergunta como o faraó passou a se comportar de maneira tão desprezível. A resposta dela não surpreende: os mágicos invejosos encorajaram seus atos, manipulando o rei de mente fraca com seus truques. Cheio de raiva e de pensamentos vingativos, Meryrê pega um pedaço de argila e o molda na forma de um homem. Usando sua magia, ele anima a figura e o comanda a fazer tudo o que ele diz, antes de despachá-lo para o mundo dos vivos para confrontar o faraó.

Ao chegar à corte, o homem de barro entra na presença do faraó e exige que seus mágicos sejam queimados na fornalha de Mut. Sisobek fica chocado e imóvel, congelado. Depois de algum tempo – talvez contemplando suas ações nefastas –, convoca seus mágicos, mas nenhum sabe o que dizer ou fazer. Enquanto debatem, o homem de barro repete sua exigência continuamente – uma distração bastante intimidante. Por fim, diante das demandas de um ser sobrenatural (e talvez seguro de que sempre poderia encontrar novos mágicos), o faraó decide fazer o que lhe foi instruído e envia seus mágicos para execução. Vitorioso, carregando um buquê de flores, o homem de barro retorna ao Duat para contar a Meryrê tudo o que aconteceu. Meryrê, extasiado, comemora e leva suas flores para Osíris, que fica confuso. "Você esteve na Terra?", pergunta o deus, e, então, Meryrê explica sobre seu homem mágico de argila.

Infelizmente, o resto da história se perdeu.

◄ ATÉ OS DEUSES MORREM ►

Embora obcecados com a permanência, os egípcios previram um fim para todas as coisas, até mesmo para os deuses. A autoridade de um deus não era limitada apenas pela localização ou pela responsabilidade, mas também pelo tempo. Como todo ser vivo da criação, os deuses tinham uma vida útil fixa. A existência, no entanto, era considerada cíclica. O deus do sol pode morrer a cada dia, mas, no meio da noite, ele era reenergizado, pronto para renascer pela manhã. A morte era uma etapa do processo de rejuvenescimento, pois era somente por meio da morte que uma pessoa que ficava fraca e velha podia ser revigorada com a juventude.

Essa diversidade é um elemento-chave da criação, é o que a separa do Nun infinito, inerte e indiferenciado. Para os egípcios, tudo o que existia tinha um nome e era único, separado, ativo e diverso. Ser diferente seria inexistente, inativo, indiferenciado. Então os deuses, como parte deste mundo, tinham que ser diversos, tinham que ser únicos e

No fim dos tempos, o mundo retornará para as águas de Nun.

tinham que ser limitados. A morte é a limitação final. Eles podem ser seres poderosos, mas os deuses têm que jogar pelas mesmas regras que todos os outros para continuar existindo.

◄ É O FIM DO MUNDO COMO O CONHECEMOS ► (MAS VOCÊ PODE FICAR TRANQUILO)

> *Vou destruir tudo o que fiz, e este mundo vai voltar para a Água [Nun] e o Dilúvio, como seu primeiro estado.*
> (LIVRO DOS MORTOS, ENCANTAMENTO 175)

Para o fim dos tempos, daqui a milhões de anos, os egípcios imaginaram as águas de Nun reivindicando o mundo criado, um ato de destruição iniciado pelo próprio Atum, para trazê-lo de volta ao seu estado original. Somente Atum e Osíris permaneceriam após esse cataclisma, transformados em serpentes sem que os homens

A cheia do Nilo no planalto de Gizé.

soubessem ou os deuses vissem. Nesse tempo, eles se sentariam em um lugar, e os montes seriam cidades e as cidades seriam montes. Mas nem tudo seria sombrio. Ainda existente nas águas inertes de Nun, Atum personificaria toda a criação física, e Osíris, a força da regeneração.

Como um grande final de suspense, ao fim dos tempos restará o potencial para uma nova vida.

◂ EPÍLOGO ▸

O MITO DO EGITO ANTIGO

> *Chegará o tempo em que parecerá que os egípcios prestaram respeito à divindade com mente fiel e meticulosa reverência sem nenhum propósito. Toda a sua adoração sagrada será decepcionada e perecerá sem efeito, pois a divindade retornará da terra ao céu, e o Egito será abandonado...*
> *Ó, Egito, Egito, de seus atos reverentes apenas histórias sobreviverão, e serão incríveis para seus filhos! Apenas palavras gravadas na pedra sobreviverão para contar suas fiéis obras...*
> (ASCLÉPIO, CAP. 24)

A citação anterior – parte de um lamento mais longo escrito por um grego no Egito sob o domínio dos romanos, no século II ou III d.C. – mostra que os egípcios sob esse governo estavam perfeitamente cientes de que o tempo de seus deuses estava terminando. Os romanos, como o poeta Juvenal, tratavam a religião antiga com um desprezo sarcástico: "Quem não sabe quais monstros lunáticos o Egito escolhe adorar? Uma parte vai para a adoração de crocodilos; um se curva para o íbis que se alimenta de serpentes; em outro lugar, brilha uma efígie dourada de um macaco sagrado de cauda longa!" Pouco depois, os deuses egípcios, de fato, se retiraram de suas terras, e muitas de suas estátuas foram queimadas e destruídas quando a população se converteu, primeiro, ao cristianismo e, depois, ao islã. Ao mesmo tempo, os monumentos do Antigo Egito desmoronavam lentamente, as imagens dos deuses eram atacadas e, ocasionalmente, seus templos eram adaptados para novos fins. As palavras gravadas na pedra permaneceram, mas seu significado se perdeu.

Com o tempo, os próprios antigos egípcios se tornaram míticos. Removidos da realidade mundana de sua existência cotidiana pelo

Com o passar do tempo, os monumentos egípcios, gradativamente, desapareceram sob as areias.

tempo e pela imaginação, os antigos egípcios e seu mundo, ou pelo menos a nossa compreensão fragmentada dele, foram adotados por pessoas em todo o planeta e adaptados para servir a qualquer propósito existente na mente do imaginador. O conceito do Antigo Egito reflete um país das maravilhas onde tudo é possível: dos relatos bíblicos do Nilo se transformando em sangue às câmaras de segredos escondidos sob as patas da Esfinge, o Egito está desconectado da história como uma série do ontem e, em vez disso, é um mundo próprio, separado da física e das limitações de hoje. Retratados como os herdeiros da sabedoria perdida de Atlântida, os construtores de usinas de energia em pirâmides e os possuidores de tecnologia alienígena, os antigos egípcios, aparentemente, tinham tudo, mas a melhor evidência revela um quadro muito mais simples: uma sociedade agrícola de vida longa, explorada por uma pequena elite e uma monarquia semidivina, que desenvolveu uma perspectiva e uma visão únicas, alcançou altos e baixos como qualquer civilização e, eventualmente (como todas as criações), se transformou, entrando em novas fases de existência.

Os faraós são icônicos, os monumentos eternos, mas Tutancâmon e a Grande Pirâmide não são o Egito Antigo, são apenas pequenos fragmentos de um todo. Os escritores alternativos parecem acreditar no contrário. Em suas criações, a Grande Pirâmide desempenha um papel peculiarmente central na civilização egípcia, como se todo o mundo antigo girasse em torno de seu outrora cume reluzente. No entanto, ignorando as fantasias dos *newagers* e dos teóricos alternativos, mesmo entre os estudiosos, o próprio Egito Antigo permanece mítico em algum grau. Embora novos dados apareçam o tempo todo, evidências de vidas e eventos tão distantes de nossa época irão, lamentavelmente, permanecer para sempre incompletos; sempre será necessário interpretar a antiga civilização egípcia, especialmente dada a natureza idealizada da maioria das evidências, e onde há interpretação, há imaginação, não importa o quanto nos esforcemos para excluí-la.

Assim como perseguir entidades distantes que desaparecem no pôr do sol, mapeamos os egípcios e suas vidas com base em suas sombras, medindo suas pegadas na areia. Seu verdadeiro eu pode permanecer indescritível, apenas fora de alcance, mas a força de sua personalidade é impressa em bens pessoais que foram descartados, vislumbrada entre suas ruínas gloriosas e manifesta em seus mitos.

Uma sociedade agrícola: colheita de uvas para a produção de vinho e preparação dos pássaros para o jantar.

A Grande Esfinge e as pirâmides de Gizé: símbolos icônicos do Egito.

A partir desses fragmentos espalhados, cada um de nós cria sua própria imagem do Antigo Egito, algumas mais precisas do que outras, algumas mais fantásticas, mas todas incompletas, todas únicas. O mito do Antigo Egito está sempre mudando e se renovando.

Os próprios antigos egípcios eram obcecados com a durabilidade dos nomes e dos atos, pois, se seu nome ficasse sem ser pronunciado, você sofreria uma segunda morte, a morte final. Gosto de imaginar que eles ficariam surpresos com toda a atenção que recebem, mas veja isso como um sinal de um trabalho bem-feito. Enquanto seus nomes continuassem sendo mencionados, eles se importariam se as pessoas modernas acreditassem que a Grande Pirâmide foi construída com a ajuda de tecnologia atlante ou de alienígenas? Talvez eles fiquem ofendidos pelo fato de que as pessoas na modernidade queiram removê-los de suas realizações impressionantes, mas, enquanto eles forem lembrados, o objetivo principal será alcançado. Nossos mitos modernos do Antigo Egito servem a seus propósitos de maneira notável; eles permitem que os egípcios nos alcancem através do tempo, filtrados pela jornada, refeitos, mas ainda contendo traços de sua identidade. Como seus deuses, os antigos egípcios são invisíveis, sem forma, e, hoje, só podem ser vivenciados por meio de suas imagens.

Eles vivem como mitos.

Abreviações:

JARCE: *Journal of the American Research Centre in Egypt*

JEA: *Journal of Egyptian Archaeology*

Mitologia egípcia geral e religião egípcia

DAVID, R. *Religion and Magic in Ancient Egypt*. Londres e Nova York, 2002.

DUNAND, F.; ZIVIE-COCHE, C. M. *Gods and Men in Egypt: 3000 BCE to 395 CE*. Trad. D. Lorton. Ithaca e Londres, 2004.

HART, G. *Egyptian Myths*. Londres e Austin, 1990.

HORNUNG, E. *Conceptions of God in Ancient Egypt: The One and the Many*. Trad. J. Baines. Ithaca, 1982.

MEEKS, D.; FAVARD-MEEKS, C. *Daily Life of the Egyptian Gods*. Trad. G. M. Goshgarian. Londres e Ithaca, 1997.

MORENZ, S. *Egyptian Religion*. Ithaca, 1973.

PINCH, G. *Handbook of Egyptian Mythology*. Santa Barbara, Denver, Oxford, 2002.

PINCH, G. *Egyptian Mythology: A Guide to the Gods, Goddesses and Traditions of Ancient Egypt*. Oxford e Santa Barbara, 2002.

PINCH, G. *Egyptian Mythology: A Very Short Introduction*. Oxford e Nova York, 2004.

QUIRKE, S. *Ancient Egyptian Religion*. Londres e Nova York, 2000.

REDFORD, D. (ed.). *The Oxford Encyclopedia of Ancient Egypt*. Oxford e Nova York, 2001. 3 v.

REDFORD, D. (ed.). *The Oxford Essential Guide to Egyptian Mythology*. Oxford, 2003.

SHAFER, B. E. (ed.). *Religion in Ancient Egypt: Gods, Myths, and Personal Practice*. Londres e Ithaca, 1991.

SHAW, I.; NICHOLSON, P. *The BM Dictionary of Ancient Egypt*. Londres, 1995.

SPENCE, L. *Ancient Egyptian Myths and Legends*. 1915.

THOMAS, A. *Egyptian Gods and Myths*. Aylesbury, 1986.

TYLDESLEY, J. *Myths and Legends of Ancient Egypt*. Londres, 2010.

WILKINSON, R. H. *The Complete Gods and Goddesses of Ancient Egypt*. Londres e Nova York, 2003.

Traduções e fontes

ALLEN, J. P. *The Ancient Egyptian Pyramid Texts*. Leiden e Boston, 2005.

BAKIR, A. el-M. *The Cairo Calendar n. 86637*. Cairo, 1966.

BETZ, H. D. *The Greek Magical Papyri in Translation Including the Demotic Spells*. Chicago e Londres, 1986.

BORGHOUTS, J. F. *Ancient Egyptian Magical Texts*. Leiden, 1978.

DIODORO SÍCULO. *Library of History*. Livro I. Trad. C. H. Oldfather. Londres e Nova York, 1933.

FAULKNER, R. O. *The Ancient Egyptian Coffin Texts*. Warminster, 1972-1978). 3 v.

FAULKNER, R. O. *The Ancient Egyptian Book of the Dead*. (ed. C. Andrews). Londres e Nova York, 1985.

LICHTHEIM, M. *Ancient Egyptian Literature*. Berkeley e Londres, 1975-1980. 3 v.

MANETO. *Aegyptiaca*. Trad. W. G. Wadell. Londres, 1940.

MEEKS, D. *Mythes et légendes du Delta d'après le papyrus Brooklyn 47.218.84*. Cairo, 2006.

PARKINSON, R. *Voices from Ancient Egypt: An Anthology of Middle Kingdom Writings*. Londres e Norman, 1991.

PLUTARCO. *Moralia. Vol. V: Isis and Osiris*. Trad. F. C. Babbitt. Londres e Cambridge, 1936.

SIMPSON, W. K. et al. *The Literature of Ancient Egypt*. Cairo, 2003.

SMITH, M. *Traversing Eternity: Texts for the Afterlife from Ptolemaic and Roman Egypt*. Oxford, 2009.

VANDIER, J. *Le Papyrus Jumilhac*. Paris, 1961.

Introdução

BAINES, J. Myth and Discourse: Myth, Gods, and the Early Written and Iconographic Record. *Journal of Near Eastern Studies*, 50, p. 81-105, 1991.

TOBIN, V. A. Mytho-Theology of Ancient Egypt. *JARCE*, 25, p. 69-183, 1988.

Capítulo 1: Desordem e criação

ALLEN, J. P. *Genesis in Egypt: The Philosophy of Ancient Egyptian Creation*. New Haven, 1988.

ASSMANN, J. *Egyptian Solar Religion in the New Kingdom: Re, Amun and the Crisis of Polytheism*. Trad. A. Alcock. Londres e Nova York, 1995.

BICKEL, S. *La cosmogonie égyptienne: avant le nouvel empire*. Friburgo, 1994.

BORGHOUTS, J. F. The Evil Eye of Apophis. *JEA*, 59, p. 114-150, 1973.

FAULKNER, R. O. The Bremner-Rhind Papyrus: IV. *JEA*, 24, p. 41-53, 1938.

IVERSEN, E. The Cosmogony of the Shabaka Text. In: ISRAELIT-GROLL, S. (ed.). *Studies in Egyptology Presented to Miriam Lichtheim*. Jerusalém, 1990, v. 1, p. 485-493.

KEMBOLY, M. *The Question of Evil in Ancient Egypt*. Londres, 2010.

MATHIEU, B. Les hommes de larmes: A propos d'un jeu de mots mythique dans les textes de l'ancienne Egypte. In: GUILLAUMONT, A. *Hommages à François Daumas*. Montpellier, 1986, v. II, p. 499-509.

MORENZ, L. D. On the Origin, Name, and Nature of an Ancient Egyptian Anti-God. *Journal of Near Eastern Studies*, 63, p. 201-205, 2004.

MORET, A. *Le rituel du culte divin journalier en Égypte: d'après les papyrus de Berlin et les textes du temple de Séti Ier, à Abydos*. Genebra, 1902.

SALEH, A. The So-Called "Primeval Hill" and Other Related Elevations in Ancient Egyptian Mythology. *Mitteilungen des Deutschen*

Archäologischen Instituts, Abteilung Kairo, 25, p. 110-120, 1969.

SANDMAN-HOLMBERG, M. *The God Ptah*. Lund, 1946.

SAUNERON, S. *Le Temple d'Esna*. Cairo, 1959-1969. 5 v.

SCHLÖGL, H. A. Der Gott Tatenen. Friburgo, 1980.

TOWER HOLLIS, S. Otiose Deities and the Ancient Egyptian Pantheon. *JARCE*, 35, p. 61-72, 1998.

WEST, S. The greek version of the Legend of Tefnut. *JEA*, 55, p. 161-183, 1969.

Capítulo 2: Os reinados de Rê, Shu e Geb

BEINLICH, H. *Das Buch vom Fayum: Zum religiösen Eigenverständnis einer ägyptischen Landschaft*. Wiesbaden, 1991.

FAIRMAN, H. W. The Myth of Horus at Edfu: I. *JEA*, 21, p. 26-36, 1935.

GOYON, G. Les travaux de Chou et les tribulations de Geb d'après Le Naos 2248 d'Ismaïlia. *Kemi*, 6, p. 1-42, 1936.

GUILHOU, N. Myth of the Heavenly Cow. In: DIELEMAN, J.; WENDRICH, W. (ed.). *UCLA Encyclopedia of Egyptology*. Los Angeles, 2010. Disponível em: http://digital2.library.ucla.edu/viewItem.do?ark=21198/zz002311pm – Acesso em: 28 jun. 2022.

GUTBUB, A. *Textes Fondamentaux de la théologie de Kom Ombo*. Cairo, 1973.

HORNUNG, E. *Der ägyptische Mythos von der Himmelskuh: eine Ätiologie des Unvollkommenen*. Friburgo, 1982.

JUNKER, H. *Die Onurislegende*. Berlim, 1917.

SPIEGELBERG, W. *Der Ägyptische Mythus vom Sonnenauge, der Papyrus der Tierfabeln, Kufi. Nach dem Leidener demotischen Papyrus I 384*. Estrasburgo, 1917.

Capítulo 3: O reinado de Osíris

CAMINOS, R. Another Hieratic Manuscript from the Library of Pwerem Son of K. ik.i (Pap. B.M. 10288). *JEA*, 58, p. 205-224, 1972.

DAUMAS, F. Le sanatorium de Dendara. *Bulletin de l'Institut français d'archéologie orientale*, 56, p. 35-57, 1957.

DERCHAIN, P. J. *Le Papyrus Salt 825 (B.M. 10051): Rituel pour la conservation de la vie en Égypte*. Bruxelas, 1965.

FAULKNER, R. O. The Pregnancy of Isis. *JEA*, 54, p. 40-44, 1968.

FAULKNER, R. O. Coffin Texts Spell 313. *JEA*, 58, p. 91-94, 1972.

FAULKNER, R. O. "The Pregnancy of Isis", a Rejoinder. *JEA*, 59, p. 218-219, 1973.

GARDINER, A. H. *Hieratic Papyri in the BM*. Londres, 1935. 2 v.

GRIFFITHS, J. G. *Plutarch's De Iside et Osiride*. Cardiff, 1970.

MORET, A. La légende d'Osiris à l'époque thébaine d'après l'hymne à Osiris du Louvre. *Bulletin de l'Institut français d'archéologie orientale*, 30, p. 725-750, 1931.

OSING, J. *Aspects de la culture pharaonique: Quatre leçons au Collège de France (février-mars, 1989)*. Paris, 1992.

QUACK, J. F. Der pränatale Geschlechtsverkehr von Isis und Osiris sowie eine Notiz zum Alter des Osiris. *Studien zur altägyptischen Kultur*, 32, p. 327-332, 2004.

SAUNERON, S. Le rhume d'Anynakhté (Pap. Deir el-Médinéh 36). *Kemi*, 20, p. 7-18, 1970.

TOWER HOLLIS, S. *The Ancient Egyptian "Tale of Two Brothers": A mythological, Religious, Literary, and Historico-Political Study*. Oakville, 2008.

TROY, L. Have a Nice Day! Some Reflections on the Calendars of Good and Bad Days. In: ENGLUND, G. (ed.). *The Religion of the Ancient Egyptians: Cognitive Structures and Popular Expressions*. Uppsala, 1989, p. 127-147.

YOYOTTE, J. Une notice biographique de roi Osiris. *Bulletin de l'Institut français d'archéologie orientale*, 77, p. 145-149, 1977.

Capítulo 4: O reinado de Seth e o triunfo de Hórus

BLACKMAN, A. M.; FAIRMAN, H. W. The Myth of Horus at Edfu: II. C. The Triumph of Horus over His Enemies: A Sacred Drama. *JEA*, 29, p. 2-36, 1943.

BLACKMAN, A. M.; FAIRMAN, H. W. The Myth of Horus at Edfu: II. C. The Triumph of Horus over His Enemies: A Sacred Drama (Concluded). *JEA*, 30, p. 5-22, 1944.

BROZE, M. *Les Aventures d'Horus et Seth dans le Papyrus Chester Beatty I*. Leuven, 1996.

COLIN, M. The Barque Sanctuary Project: Further Investigation of a Key Structure in the Egyptian Temple. In: HAWASS, Z.; PINCH BROCK, L. *Egyptology at the Dawn of the Twenty-First Century*. Cairo e Nova York, 2002, v. II, p. 181-186.

DE BUCK, A. *The Egyptian Coffin Texts*. Chicago, 1935, v. I.

FAIRMAN, H. W. The Myth of Horus at Edfu: I. *JEA*, 21, p. 26-36, 1935.

GARDINER, A. H. Horus the Behdetite. *JEA*, 30, p. 23-60, 1944.

GOYON, J. *Le papyrus d'Imouthès fils de Psintaês au Metropolitan Museum of Art de New York (Papyrus MMA 35.9.21)*. Nova York, 1999.

GRIFFITHS, J. G. *The Conflict of Horus and Seth from Egyptian and Classical Sources*. Liverpool, 1960.

GRIFFITHS, J. G. "The Pregnancy of Isis": A Comment. *JEA*, 56, p. 194-195, 1970.

KURTH, D. Über Horus, Isis und Osiris. In: LUFT, U. (ed.). *The Intellectual Heritage of Egypt. Studia Aegyptiaca 14*. Budapeste, 1992, p. 373-378.

O'CONNELL, R. H. The Emergence of Horus: An Analysis of Coffin Text Spell 148. *JEA*, 69, p. 66-87, 1983.

SCOTT, N. E. The Metternich Stela. *Bulletin of the Metropolitan Museum of Art*, 9, p. 201-217, 1951.

SHAW, G. J. *The Pharaoh: Life at Court and on Campaign*. Londres e Nova York, 2012.

SMITH, M. The Reign of Seth. In: BAREŠ, L.; COPPENS, F.; SMOLÁRIKOVÁ, K. (ed.). *Egypt in Transition, Social and Religious*

Development of Egypt in the First Millenium BCE. Praga, 2010, p. 396-430.

SWAN HALL, E. Harpocrates and Other Child Deities in Ancient Egyptian Sculpture. *JARCE*, 14, p. 55-58, 1977.

Capítulo 5: O ambiente mítico

ALLEN, J. P. The Egyptian Concept of the World. In: O'CONNOR, D.; QUIRKE, S. (ed.). *Mysterious Lands*. Londres e Portland, 2003, p. 23-30.

FISCHER, H. G. The Cult and Nome of the Goddess Bat. *JARCE*, 1, p. 7-18, 1962.

GRIFFITHS, J. G. Osiris and the Moon in Iconography. *JEA*, 62, p. 153-159, 1976.

HORNUNG, E. *The Ancient Egyptian Books of the Afterlife*. Trad. D. Lorton. Ithaca e Londres, 1999.

KEES, H. *Ancient Egypt: A Cultural Topography*. Trad. I. F. D. L. Morrow. Londres, 1961.

RAVEN, M. J. Magic and Symbolic Aspects of Certain Materials in Ancient Egypt. *Varia Aegyptiaca*, 4, p. 237-242, 1989.

RITNER, R. K. Anubis and the Lunar Disc. *JEA*, 71, p. 149-155, 1985.

SYMONS, S. *Ancient Egyptian Astronomy Timekeeping and Cosmography in the New Kingdom*. Tese de doutorado inédita. University of Leicester, 1999.

WELLS, R. A. The Mythology of Nut and the Birth of Ra. *Studien zur altägyptischen Kultur*, 19, p. 305-321, 1992.

Capítulo 6: Lidando com o invisível na vida diária

BAINES, J. Practical Religion and Piety. *JEA*, 73, p. 79-98, 1987.

DAWSON, W. R. An Oracle Papyrus. B.M. 10335. *JEA*, 11, p. 247-248, 1925.

EYRE, C. J. Belief and the Dead in Pharaonic Egypt. In: POO, M. (ed.). *Rethinking Ghosts in World Religions*. Leiden e Boston, 2009, p. 33-46.

GALÁN, J. M. Amenhotep Son of Hapu as Intermediary Between the People and God. In: HAWASS, Z.; PINCH BROCK, L. (ed.). *Egyptology at the Dawn of the Twenty-First Century*. Cairo e Nova York, 2003, v. II, p. 221-229.

LESKO, L. H. (ed.). *Pharaoh's Workers, the Villagers of Deir El Medina*. Ithaca e Londres, 1994.

MONTSERRAT, D. *Sex and Society in Graeco-Roman Egypt*. Londres e Nova York, 1963.

PARKER, R. A. *A Saite Oracle Papyrus from Thebes from Thebes in the Brooklyn Museum (P. Brooklyn 47.218.3)*. Providence, 1962.

QUAEGEBEUR, J. *Le dieu egyptien Shai dans la religion et l'onomastique*. Leuven, 1975.

RAVEN, M. J. *Egyptian Magic*. Cairo e Nova York, 2012.

RAY, J. D. An Inscribed Linen Plea from the Sacred Animal Necropolis, North Saqqara. *JEA*, 91, p. 171-179, 2005.

RITNER, R. K. O. Gardiner 363: A Spell Against Night Terrors. *JARCE*, 27, p. 25-41, 1990.

RITNER, R. K. *The Mechanics of Ancient Egyptian Magical Practice*. Chicago, 1997.

RITNER, R. K. Household Religion in Ancient Egypt. In: BODEL, J.; OLYAN, S. M. (ed.). *Household and Family Religion in Antiquity*. Oxford e Malden, 2008, p. 171-196.

RITNER, R. K. An Eternal Curse upon the Reader of These Lines (with Apologies to M. Puig). In: KOUSOULIS, P. I. M. (ed.). *Ancient Egyptian Demonology, Studies on the Boundaries between the Demonic and the Divine in Egyptian Magic*. Leuven e Walpole, 2011. p. 3-24.

RYHOLT, K. *The Story of Petese Son of Petetum and Seventy Other Good and Bad Stories (P. Petese)*. Copenhague, 1999.

SAUNERON, S. *The Priests of Ancient Egypt*. Ithaca e Londres, 2000.

SZPAKOWSKA, K. *Behind Closed Eyes, Dreams and Nightmares in Ancient Egypt*. Swansea, 2003.

SZPAKOWSKA, K. *Daily Life in Ancient Egypt*. Malden e Oxford, 2008.

SZPAKOWSKA, K. Demons in the Dark: Nightmares and other Nocturnal Enemies in Ancient Egypt. In: KOUSOULIS, P. I. M. (ed.). *Ancient Egyptian Demonology, Studies on the Boundaries between the Demonic and the Divine in Egyptian Magic*. Leuven e Walpole, 2011, p. 63-76.

TEETER, E. *Religion and Ritual in Ancient Egypt*. Cambridge e Nova York, 2011.

Capítulo 7: Os julgamentos do Duat (um guia)

ASSMANN, J. *Death and Salvation in Ancient Egypt*. Trad. D. Lorton. Ithaca e Londres, 2005.

KEMP, B. J. *How to Read the Egyptian Book of the Dead*. Londres, 2007; Nova York, 2008.

ROBINSON, P. "As for them who know them, they shall find their paths": Speculations on Ritual Landscapes in the "Book of the Two Ways". In: O'CONNOR, D.; QUIRKE, S. (ed.). *Mysterious Lands*. Londres e Portland, 2003, p. 139-159.

SPENCER, A. J. *Death in Ancient Egypt*. Harmondsworth e Nova York, 1982.

TAYLOR, J. H. *Death and the Afterlife in Ancient Egypt*. Londres e Chicago, 2001.

TAYLOR, J. H. *Journey Through the Afterlife: Ancient Egyptian Book of Dead*. Londres e Cambridge, 2010.

Capítulo 8: Seu julgamento e sua vida como um *akh*

ASSMANN, J. *The Mind of Egypt: History and Meaning in the Time of the Pharaohs*. Nova York e Londres, 2002.

ASSMANN, J. *Ma'at: Gerechtigkeit und Unsterblichkeit im Alten Ägypten*. Munique, 2006.

ENGLUND, G. *Akh – Une notion religieuse dans l'Égypte pharaonique*. Uppsala, 1978.

FRIEDMAN, F. *On the Meaning of Akh (3h) in Egyptian Mortuary Texts*. Ann Arbor, 1983.

LESKO, L. H. The Field of H. etep in Egyptian Coffin Texts. *JARCE*, 9, p. 89-101, 1971-1972.

Epílogo: O mito do Egito Antigo

COPENHAVER, B. P. *Hermetica. The Greek Corpus Hermeticum and the Latin Asclepius in a New English Translation*. Cambridge e Nova York, 1992.

JEFFREYS, D. (ed.). *Views of Ancient Egypt since Napoleon Bonaparte: Imperialism, Colonialism, and Modern Appropriations*. Londres e Portland, 2003.

MCDONALD, S.; RICE, M. (ed.). *Consuming Ancient Egypt*. Londres, 2003.

REID, D. M. *Whose Pharaohs? Archaeology, Museums and Egyptian National Identity from Napoleon to World War I*. Berkeley e Londres, 2002.

RIGGS, C. Ancient Egypt in the Museum: Concepts and Constructions. In: LLOYD, A. B. (ed.). *A Companion to Ancient Egypt*. Oxford e Malden, 2010. p. 1.129-1.153.

◀ ÍNDICE ANALÍTICO ▶

Números de páginas em itálico se referem a ilustrações.

SOBRE O AUTOR

Garry J. Shaw é doutor em Egiptologia pela Universidade de Liverpool. Autor de livros aclamados sobre egiptologia, também ensina Egiptologia on-line como tutor de meio período para o Departamento de Educação Continuada da Universidade de Oxford. Shaw lecionou na Universidade Americana do Cairo e na Sociedade de Exploração do Egito, em Londres; também trabalhou em projetos arqueológicos no Egito, Turquia e Reino Unido.